교원임용 교육학 논술 대비

권지수의 탁월한 만점전략

합격하는 교육학 논술 작성법

박문각 임용 동영상강의 www.pmg.co.kr

박문각

머리말

본 서적은 고득점 합격을 위한 교육학 논술의 이해와 실제를 지향한다. 교육학 논술에서 고득점을 받기 위해서는 교육학 논술이란 무엇이며 어떻게 써야 하는지를 분명히 파악하고 있어야 한다. 흔히 훌륭한 논술 답안을 쓰기가 매우 어렵다고 한다. 그러나 논술의 방법을 정확히 알고 그것을 실제에 적용시켜 답안을 작성할 수 있다면 교육학 논술은 아주 쉬운 글쓰기가 될 것이라 확신한다. 본 서적은 교육학 논술에서 고득점을 받기 위한 목적에서 탄생하였다.

필자는 교육학 논술의 이해와 실제라는 기본 틀 속에서 다음과 같은 점에 유의하여 본 서적을 집필하였다.

첫째, 논술의 정확한 개념 이해이다. 논술을 잘 쓰기 위해서는 논술을 정확히 이해하고 있어야 하기 때문이다. 둘째, 논술의 유형 파악이다. 논술이 어떤 형태로 출제되는지를 파악하고 있어야 그것에 맞추어 대응할 수 있다. 셋째, 논술의 채점 원칙이다. 논술이 어떻게 채점되는지를 알고 있어야 어떻게 접근하고 어떤 식으로 써야 고득점을 받을 수 있는지 알 수 있다. 넷째, 교육학 논술의 실제를 소개한다. 논술 작성에 필요한 단계별 주요 항목을 자세히 안내하고, 답안 작성의 과정에서 요구되는 올바른 문장 표현의 방법을 제시한다.

이 점에서 본 서적은 교육학 논술 작성의 탁월한 가이드를 제시해 줄 것이며, 이를 통해 수험생은 교육학 논술의 고득점 답안을 쉽게 쓸 수 있을 것이라 확신한다.

본 서적은 탁월한 교육학 논술 답안의 작성을 위해 태어났다. 교육학 논술 답안을 위한 훌륭한 가이드 역할을 하겠지만, 이 뿐만 아니라 논술을 요하는 어떤 시험에도 그대로 적용하여 활용할 수 있을 것이라 본다. 필자는 많은 시간과 노력을 투자하여 2016년에 이미 본 서적의 원본을 집필하여 완성하였지만, 그동안 바쁘다는 핑계로 출간을 미루어 왔었다. 여기서는 본 서적의 원본 중 중요한 항목 일부를 발췌하여 수험생들에게 내놓고자 한다. 아무쪼록 본 서적이 교육에 헌신하고자 하는 동도제현께 탁월한 선택이 되었으면 하는 바람이다.

겸재 권지수

차례

Part 01 교육학 논술의 이해

Part 02 교육학 논술의 실제

교육학 논술의 출제 경향 분석

교육학 논술의 기출문제

권지수의 탁월한 만점전략

합격하는
교육학
논술 작성법

교육학 논술의 이해

Chapter 01

논술의 개념

MEMO

01 논술의 개념

논술(論述)이란 개념상으로 보면 논리적 서술이라 정의할 수 있다. 즉, 논술은 어떤 주제나 문제 상황에 대해 정당한 근거를 마련하여 자신의 주장을 내세움으로써 상대방을 논리적으로 설득하는 글이다. 논술의 목적이 논리적 설득에 있으므로 자신의 주장과 그것을 뒷받침하는 정당한 근거가 매우 중요하다. 또, 논리적 설득을 위해서는 논리적으로 서술하는 것이 필수적이다. 논리적 서술은 논증의 방법과 설명의 방법이 한데 어우러진 서술을 의미한다. 논증법과 설명법이 전적으로 논리적 사고력에 바탕을 두기 때문이다. 논술에서 독자를 설득하려면 자기 주장의 근거가 되는 명제들을 충분히 설명하여 납득시켜야 한다. 이러한 설명 없이 논리적 추론만 제시하면 설득 효과가 잘 나타나지 않는다. 따라서 논술은 논증법과 설명법이 한데 어우러져 자신의 주장과 근거를 설득력 있게 내세우는 언어활동이라 할 수 있다.

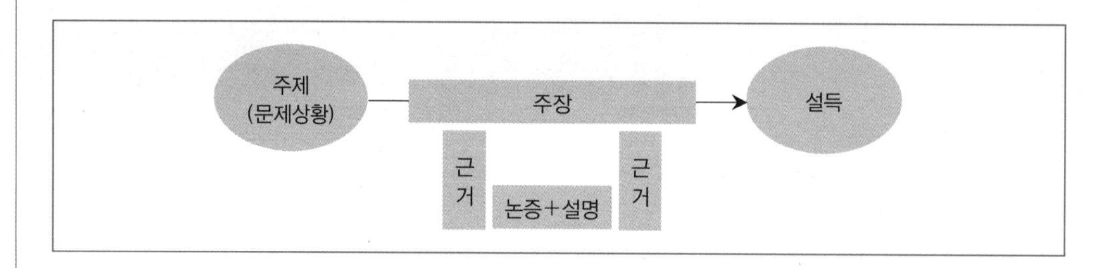

MEMO

01

02 임용 논술의 이해

논술의 개념은 임용 논술의 개념에도 그대로 적용된다. 다만, 임용 논술을 구체적으로 이해하려면 임용 논술만의 뚜렷한 특징을 파악하여야 한다. 임용 논술은 다음과 같이 이해할 수 있다.

> 출제자의 질문(문제의 논점)에 대해서
> 알맞은 답변(논술의 내용)을
> 배점 기준과 유의 사항을 고려하여(제약 조건)
> 논리적으로 서술하는 것이다.

1 출제자의 질문(문제의 논점)을 정확히 파악해야 한다.

임용 논술은 출제자의 질문에 대해서 답을 쓰는 것이다. 따라서 출제자의 질문을 정확히 이해할 수 있어야 한다. 이를 위해서는 논제 파악이 필수적이다. 논제 파악은 문제에서 요구하는 논점을 분석하는 것을 의미한다. 교육학 논술이나 교직 논술에는 '지시문', '제시문', '배점'이 제시된다. 이들을 상호 유기적으로 연결하여 무엇을 묻고자 하는지 정확하게 분석할 수 있어야 한다. 각 논점을 '질문' 형태로 바꾸어 보면 좋다. 논점에 답하기가 훨씬 쉬워진다.

출제 논점은 관점 제시 여부에 따라 두 가지 형태로 나뉜다. 첫째, 관점 제시형이다. 특정 관점을 제시하고 그 관점에서 논술하라는 것이다. 둘째, 관점 유추형이다. 특정 관점이 제시되지 않아 제시문에서 특정 관점을 추론하여 논술하는 경우이다. 후자는 제시문과 매우 긴밀한 연관이 있기 때문에 제시문 분석이 매우 중요하며, 제시문을 정확히 분석할 수 있어야 특정 관점과 관련된 논점에 답할 수 있게 된다.

2 질문에 알맞은 답변(논술의 내용)을 써야 한다.

임용 논술에는 모범답안이 있다. 창의적 문제해결 능력을 요구하는 일반 논술과 달리 임용 논술은 일정한 모범답안과 채점기준표를 미리 만들어 두고, 이에 근거하여 수험생의 논술 답안을 채점한다. 따라서 수험생은 모범답안과 채점기준표를 생각하며 그와 유사한 답안을 써야 한다. 답안을 쓸 때에는 출제자의 질문에 답한다는 생각으로 접근하는 것이 좋다. 각 논점을 질문 형태로 바꾼 다음, 각 질문에 답한다는 자세로 답안을 쓰면 된다. 질문에 대한 답(주장), 답에 대한 논증과 설명의 방식으로 답안을 써 내려가면 된다.

MEMO

임용 논술에서 요구하는 답안을 정확히 쓰려면 배경지식이 필수적이다. 교육학 논술은 교육학 지식을, 교직 논술은 교직·교양 관련 배경지식을 요구한다. 교육학 논술은 교육학을 논술형으로 평가하는 것이라 그 범위가 교육학으로 한정되어 있지만, 교직 논술은 기본적인 교직 적성과 소양을 평가하는 것이므로 범위가 매우 넓다. 따라서 교직 논술을 준비하는 수험생은 평소 교육과정의 기본적 이론과 개념을 충실하게 공부하되 시사 교육이슈에도 관심을 가져야 한다.

3 배점 기준과 유의 사항(제약 조건)을 고려해야 한다.

임용 논술은 평가 주체와 대상, 평가 주체들 간에 상호 주관성(inter-subjectivity)을 확보하기 위해 배점 기준을 제시한다. 교육학 논술의 배점 기준은 ① 논술의 내용(총 15점), ② 답안의 논리적 구성 및 표현(총 5점) 또는 ① 논술의 구성 요소(총 15점), ② 논술의 구성 및 표현(총 5점)이다.

또, 유의 사항을 제시한다. 교육학 논술은 '지시문'과 '배점'에 유의 사항을 제시한다. '지시문'을 보면, '서론, 본론, 결론의 형식을 갖추어 논하시오', '교사가 갖추어야 할 역량이라는 주제로~'라는 식의 유의 사항이 제시되어 있음을 알 수 있다. 그리고 이러한 유의 사항은 '배점' 기준에도 반영되어 있는데, '답안의 논리적 구성 및 표현(총 5점)' 또는 '논술의 구성 및 표현(총 5점)'이 그것이다.

만점 답안을 작성하려면 배점 기준과 유의 사항을 꼭 지켜야 한다. 각 논점별 배점 기준을 고려하여 각 논점별 답안의 분량을 조절하고, 유의 사항을 잘 지켜 감점되는 일이 없어야 한다. 배점 기준과 유의 사항을 사소하게 생각하는 수험생도 있는데, 이는 점수와 직결되는 사항이므로 유의해야 한다.

4 논리적으로 서술해야 한다.

탄탄한 배경지식을 갖추었다 하더라도 논리적 서술 능력이 없으면 자기가 원하는 대로 자유롭게 써 내려갈 수 없다. 논술은 필연적으로 논리적 서술 능력을 요구하므로 논리적 서술을 위한 논증 방법과 설명 방법을 반드시 터득하고 있어야 한다. 연역법, 귀납법, 유추법 등의 논증 방법과 정의법, 상술법, 분석법, 분류법, 비교 대조법, 인용법, 예시법 등의 설명 방법을 습득하고 있을 때 논술에 대한 두려움은 사라지며 논술이 자유로워진다.

Chapter 02

논술의 유형

MEMO

01 자료 제시 여부에 따른 유형

1 단독 과제형 논술

특정 주제에 대하여 자유로운 논리 전개를 요구하는 유형이다. 제시문이 없기 때문에 주어진 주제에 대해 자신의 생각을 자유롭게 펼쳐 나가면 된다. 단독 과제형은 한정된 텍스트가 없는 만큼 폭넓은 독서 경험과 깊이 있는 사고력을 활용하여 서술하여야 한다. 사고의 폭과 깊이를 측정하고자 할 때 단독 과제형을 출제한다. 과거 초창기 논술 시험의 유형이다.

예
- 고교입시에 관하여(선발제와 추천제와 관련) 고교입시 부활 주장과 평준화에 의한 현행 입시제도의 유지 주장 중 택1하여 논술하라. 93 제주 중등 교직 논술
- 현실적 학교 교육의 문제점과 극복방안을 논술하시오. 00 경북 중등 교직 논술
- 진단 · 형성 · 총괄 평가의 기능에 대해 논하시오. 93 전북 중등 교직 논술

2 자료 제시형 논술

특정 주제와 관련된 자료를 제공하고 그 자료에 근거한 논리 전개를 요구하는 유형이다. 제시문의 형태로 자료가 주어지는 만큼 제시문의 자료가 지닌 의미나 의의, 장점, 문제점, 대안이나 전망, 자료들의 상호관계 등을 면밀히 분석하여 논리적으로 서술하여야 한다. 논술의 대상과 범위가 자료에 한정되기 때문에 제한된 논점을 얼마나 잘 이해하고 적절히 적용하는지, 자료와 관련하여 자신의 생각을 얼마나 논리적으로 펼칠 수 있는지를 측정하고자 할 때 자료 제시형을 출제한다. 교육학 논술, 전공 교과 논술, 교직 논술은 이에 해당한다.

예
- 다음은 A 중학교에 재직 중인 김 교사가 작성한 자기개발계획서의 일부이다. 김 교사의 자기개발계획서를 읽고 예비 교사 입장에서 '교사가 갖추어야 할 역량'이라는 주제로 교육과정 및 평가 유형, 학생의 정체성발달, 조직 활동에 대한 내용을 구성 요소로 하여 서론, 본론, 결론의 형식을 갖추어 논하시오. 16 중등 교육학 논술
- 다음은 ○○초등학교 병설유치원에서 교육과정 운영과 관련하여 교사들이 나눈 대화의 일부이다. 1) ~~, 2) ~~, 3) ~~ 대해 논하시오. 16 유치원 교직 논술
- 다음은 ○○초등학교의 교사 협의회에서 수업 중 학생 행동 관리에 대해 교사들이 나눈 대화의 일부이다. 1) ~~, 2) ~~, 3) ~~, 4) ~~ 대해 논하시오. 16 초등 교직 논술

MEMO

02 교과 영역에 따른 유형

1 영역 독립형 논술

특정 주제나 특정 교과에 한정하여 논의하는 유형이다. 특정 교과에 한정된 교과형 논술과 특정 주제에 한정된 특정 주제형 논술이 이에 해당한다. 임용 논술에서는 전공 교과 논술이 이에 해당한다.

예
- 다음은 경력 교사인 박 교사와 초임 교사인 김 교사가 수업 장학 중 나눈 대화의 일부이다. 밑줄 친 ㉠과 ㉡의 내용을 쓰고, 이를 토대로 [김 교사의 교수·학습 계획]의 학습 활동 가운데 개선할 점을 2가지 서술하시오. 또한, 밑줄 친 ㉢에 대한 본인의 입장을, 본질주의적(essentialist) 혹은 맥락주의적(contextualist) 정당화 중 하나를 선택하여 근거를 들어 논술하시오. 16 중등 '미술'
- 다음은 보건 교사가 '주요우울장애'로 진단받은 수지(고1, 여)와 상담한 내용의 일부이다. 수지의 증상에 대해 인지행동치료 관점에서 파악한 내용을 〈작성 방법〉에 따라 논하시오. 16 중등 '보건'

작성 방법

- 정신질환의 진단 및 통계 편람 제5판(DSM-5)에 의한 수지의 주요우울장애 증상 4가지를 위 대화문에서 찾아 제시할 것
- 벡(A. Beck)의 인지치료 관점에서 수지의 인지적 왜곡 2가지를 위 대화문에서 찾아 쓰고, 그 명칭을 각각 제시할 것
- 엘리스(A. Ellis)에 의해 창시된 합리적 정서 행동치료(REBT)의 'ABCDE' 모형을 설명하고, 위 대화문에서 나타난 수지의 비합리적 신념 2가지를 이 모형에 적용하여 ABC 요소를 각각 제시할 것
- 서론, 본론, 결론의 형식을 갖출 것

2 영역 통합형 논술

특정 주제나 특정 교과에 한정하지 않고, 다양한 지식 영역을 넘나들며 통합적으로 사고하도록 하는 유형이다. 통합 교과형 논술은 논술의 성격이나 취지에 가장 충실한 시험 형태라 할 수 있다. 교육학 논술과 교직 논술이 이에 해당한다.

예
- 다음은 A 중학교에 재직 중인 김 교사가 작성한 자기개발계획서의 일부이다. 김 교사의 자기개발계획서를 읽고 예비 교사 입장에서 '교사가 갖추어야 할 역량'이라는 주제로 교육과정 및 평가 유형, 학생의 정체성발달, 조직 활동에 대한 내용을 구성 요소로 하여 서론, 본론, 결론의 형식을 갖추어 논하시오. 16 중등 교육학 논술
- 다음은 ○○초등학교 병설유치원에서 교육과정 운영과 관련하여 교사들이 나눈 대화의 일부이다. 1) 유치원 교육 현장에서 교육과정의 탄력적 운영이 필요한 이유를 학습자와 유치원 현장의 특성 측면에서 각각 1가지씩 제시하고, 2) 정 교사와 권 교사가 교육과정을 변경하고자 할 때 고려하고 있는 점 3가지를 제시한 후, 2015 개정 유치원 교육과정 총론의 '편성과 운영'을 근거로 각각의 교육적 의의를 논하시오. 그리고 3) 교직의 전문직 관점에서 교육과정을 탄력적으로 운영하기 위해 교사에게 요구되는 특성 2가지를 들고 이에 대해 논하시오. 16 유치원 교직 논술

MEMO

01

03 논제의 성격에 따른 유형

1 논증형 논술

어떤 입장이나 규범에 대해 타당성, 당위성, 의의나 중요성 등의 증명을 요구하는 유형이다. 논증은 기지의 사실(근거)을 바탕으로 새로운 주장을 합리적으로 펼치는 논리적 사고 작용을 의미하며, 이에는 연역 추론, 귀납 추론, 유비 추론, 가설 추론 등의 논증 방법이 사용된다. 논증형 논술은 교육학 논술, 전공 교과 논술, 교직 논술에서 자주 출제된다.

예
- A 중학교가 내년에 중점을 두고자 하는 교육 목적을 자유교육의 관점에서 논하시오. 15 중등 교육학 논술 '일부'
- 2015 개정 유치원 교육과정 총론의 '편성과 운영'을 근거로 교육과정의 탄력적 운영이 지니는 교육적 의의를 논하시오. 16 유치원 교직 논술 '일부'
- 신 교사와 김 교사가 각각 학생 행동 관리의 기본 원리로 채택하고 있는 학습이론을 대화 내용에서 근거를 찾아 논하시오. 16 초등 교직 논술 '일부'

2 설명형 논술

사물(개념, 현상 등)을 알기 쉽게 풀이하여 독자를 이해시키는 유형이다. 설명은 개념, 성분, 기능, 과정, 원인과 결과 등을 알기 쉽게 풀이하여 독자의 이해를 돕는 논리적 사고 과정을 의미하며, 이에는 정의법, 상술법, 분석법, 분류법, 비교 대조법, 인용법, 예시법 등의 설명 방법이 사용된다. 설명형 논술은 교육학 논술, 전공 교과 논술, 교직 논술에서 자주 출제된다.

예
- A 중학교가 내년에 중점을 두고자 하는 교육과정 설계 방식의 특징, 학습동기 향상을 위한 학습 과제 제시 방안, 학습조직의 구축 원리를 각각 3가지씩 설명하시오. 15 중등 교육학 논술 '일부'
- 유치원 교육 현장에서 교육과정의 탄력적 운영이 필요한 이유를 학습자와 유치원 현장의 특성 측면에서 각각 1가지씩 제시하고, 정 교사와 권 교사가 교육과정을 변경하고자 할 때 고려하고 있는 점 3가지를 제시하시오. 16 유치원 교직 논술 '일부'
- 수업 상황에서 학생 행동 관리가 필요한 이유를 2가지 제시하시오. 16 초등 교직 논술 '일부'

MEMO

04 임용 논술 특유의 유형

1 학문(교육학, 전공 교과)의 지식 수준에 따른 유형

(1) 교육학 논술

교육학 논술은 교육학 지식의 습득 및 이해 수준을 평가하거나(순수 이론형), 교육학 지식을 가상의 상황에 적용하여 설명하거나 문제를 해결하도록(이론 적용형) 하는 유형이다. 이는 교육학을 논술형으로 평가하는 것으로 중등 임용 시험의 교육학 평가 방식이다. 교육학 논술은 교육학 지식의 단순 암기를 넘어선 교육학 지식의 통합적 이해와 적용 능력, 논리적 사고력과 비판적 사고력 및 종합적 사고력, 합리적 문제해결능력 등을 평가할 목적으로 출제한다.

(2) 교직 논술

유치원, 초등학교, 특수학교의 '교직 · 교양 전 영역'을 범위로 하여 각급 학교 교사로서의 교직 적성과 기본 소양을 평가하는 유형이다. 유 · 초등학교 및 특수학교(유 · 초등) 임용 시험의 논술 평가 방식이다. 교직 논술은 교육에 관한 시사 이슈, 교사로서의 적성 및 자질, 각급 학교 교육과정의 이해 및 운영 능력, 각급 학교 교사에게 요구되는 기본적인 교과교육학 및 교육학적 소양 등을 평가할 목적으로 출제한다.

2 관점 제시 여부와 제시문 기능에 따른 유형

(1) 관점 제시 여부에 따른 유형

① **관점 제시형** : 특정 관점을 제시하고, 그 관점에서 논술할 것을 요구하는 유형이다. 논의가 특정 관점에 제한되므로 다양한 답안이 나올 가능성을 사전에 배제하고 싶을 때 관점 제시형을 출제한다. 관점 제시형은 논의의 관점이 이미 주어져 있어 답안 쓰기가 훨씬 쉽다.

② **관점 추론형** : 특정 관점을 제시하지 않고 지시문과 제시문을 토대로 관점을 추론하도록 하는 유형이다. 교육학 지식이나 배경지식의 정확한 이해와 활용 여부 및 고차적 사고력을 측정하고자 할 때 관점 추론형을 출제한다. 출제자가 요구하는 관점을 추론하여 답안을 작성해야 하므로 답안 쓰기가 훨씬 어렵다.

MEMO

01

(2) 제시문 기능에 따른 유형

① **형식적 제시문형(형식적 기능형)** : 제시문이 답안 내용에 전혀 영향을 주지 않는 유형이다. 제시문은 형식적 역할만 할 뿐 기능적 역할을 하지 못한다. 따라서 분석의 대상이 되지 못하며 논거로 작용하지도 않는다. 답안의 내용 구성에서 특별한 역할을 하지 않기 때문에 제시문에 구애받지 않고 자유롭게 답안을 작성하면 된다. 교육학 지식의 이해와 습득 정도를 측정하기에 유리한 유형이다.

② **실질적 제시문형(실질적 기능형)** : 제시문이 답안 내용을 제한하며 실질적으로 기능하는 유형이다. 제시문은 주요 내용을 함의하고 있어 분석의 대상이 되며, 그 분석 내용을 토대로 주요 개념이나 이론 등을 추론해야 한다. 답안 작성 시에는 반드시 제시문에 근거하여야 하며, 제시문에서 근거를 찾고 관련 내용을 추론하여 답안을 작성해야 한다. 교육학적 사고력과 이해력 및 종합력을 측정하기에 좋은 유형이다.

(3) 임용 논술의 출제 형태

	형식적 제시문	실질적 제시문
관점 제시형	Ⅰ형	Ⅱ형
관점 추론형	Ⅲ형	Ⅳ형

① **Ⅰ형(관점 제시형 – 형식적 제시문)** : 주어진 특정 관점에서 논의하면 그것으로 족하다. 제시문은 특별한 기능을 하지 않는다. 제시문이 없는 것과 마찬가지이므로 단독 과제형과 유사하다. 가장 쉬운 유형이다.

예 • 다음은 A 고등학교 초임 교사들을 대상으로 진행한 학교장의 특강 내용 중 일부를 발췌한 부분이다. 발췌한 특강 부분은 학교에 대한 이해 차원에서 1) 학교 교육의 기능과 2) 학교 조직의 특징, 수업에 대한 이해 차원에서 3) 수업 설계와 4) 학생 평가에 대한 내용이다. 이를 바탕으로 1)~4)의 요소를 활용하여 '다양한 요구에 직면한 학교 교육에서의 교사의 과제'라는 주제로 서론, 본론, 결론의 형식을 갖춰 논하시오. 15 중등 교육학 논술, 상반기

배 점

• 논술의 내용 [총 15점]
  – 기능론적 관점에서 학교 교육의 선발·배치 기능 및 한계 각각 2가지만 제시 [4점]
  – 학교 조직의 관료제적 특징과 이완결합체제적 특징 각각 2가지만 제시 [4점]
  – 일반적 교수체제설계에서 분석 및 설계 과정의 주요 활동 각각 2가지만 제시 [4점]
  – 준거지향평가의 개념을 설명하고, 장점 2가지만 제시 [3점]

• 답안의 논리적 구성 및 표현 [총 5점]
  – 논술의 내용과 '학교 교육에서의 교사의 과제'와의 연계 및 논리적 형식 [3점]
  – 표현의 적절성 [2점]

• 교직의 전문직 관점에서 교육과정을 탄력적으로 운영하기 위해 교사에게 요구되는 특성 2가지를 들고 이에 대해 논하시오. 16 유치원 교직 논술 '일부'

MEMO

② Ⅱ형(관점 제시형 – 실질적 제시문) : 주어진 특정 관점에서 논의하되 반드시 제시문에 근거해야 한다. 특정 관점에서 제시문을 분석하여 근거를 찾고 답안을 추론하여야 한다. 주어진 관점과 제시문의 유기적 관련성이 중요하다. 중간 수준의 유형이다.

예 • 다음은 A 고등학교의 최 교사가 작성한 성찰 일지의 일부이다. 일지 내용을 바탕으로 철수의 학교 부적응 행동의 원인을 청소년 비행이론에서 2가지만 선택하여 설명하시오. 14 상반기 중등 교육학 논술 '일부'

• 다음은 A 중학교 초임 교사인 박 교사와 경력 교사인 최 교사의 대화 내용이다. 다음 대화문을 바탕으로 학생들이 수업에서 소극적으로 행동하는 문제를 2가지 관점(① 잠재적 교육과정, ② 문화실조)에서 진단하시오. 14 중등 교육학 논술 '일부'

• 다음은 박 교사가 담당학급의 쌍둥이 남매인 철수와 영희의 어머니와 상담을 실시한 사례이다. 박 교사가 ㉠에서 말했을 법한 영희의 IQ에 대한 올바른 해석에 기반을 두고 영희의 문제를 해결하고자 할 때, '기대×가치 이론'과 Maslow의 '욕구위계이론'을 각각 활용하여 영희가 학습동기를 잃게 된 원인과 그 해결 방안을 논하시오. 13 중등 교육학 논술, 특수 추시

③ Ⅲ형(관점 추론형 – 형식적 제시문) : 지시문과 제시문을 분석하여 특정 관점을 추론한 후, 출제자가 요구하는 논점을 그 관점에서 논의하면 된다. 제시문은 관점 추론을 위한 역할을 할 뿐 답안의 내용에 전혀 영향을 주지 못한다. 추론한 관점에 의거하여 자유롭게 답안을 작성하면 된다. 중간 수준의 유형이다.

예 • 다음은 A 중학교에 재직 중인 김 교사가 작성한 자기개발계획서의 일부이다. 김 교사의 자기개발 계획서를 읽고 예비 교사 입장에서 '교사가 갖추어야 할 역량'이라는 주제로 교육과정 및 평가 유형, 학생의 정체성발달, 조직 활동에 대한 내용을 구성 요소로 하여 서론, 본론, 결론의 형식을 갖추어 논하시오. 16 중등 교육학 논술

배 점

• 논술의 구성 요소 [총 15점]
  – '수업 구성'에 나타난 교육과정 유형의 장점 및 문제점 각각 2가지 [4점]
  – 김 교사가 실시하려는 평가 유형의 기능과 효과적인 시행 전략 각각 2가지 [4점]
  – 에릭슨(E. Erikson)의 정체성발달이론에 제시된 개념 1가지(2점)와 반두라(A. Bandura)의 사회인지학습이론에 제시된 개념 1가지(1점) [3점]
  – '학교 내 조직 활동'에 나타난 조직 형태가 학교 조직과 구성원에 미치는 순기능 및 역기능 각각 2가지 [4점]

• 논술의 구성 및 표현 [총 5점]
  – 논술의 구성 요소와 '교사가 갖추어야 할 역량'과의 연계 및 논리적 형식 [3점]
  – 표현의 적절성 [2점]

• 다음은 A 중학교 초임 교사인 박 교사와 경력 교사인 최 교사의 대화 내용이다. 다음 대화문을 바탕으로 수업에 소극적인 학생들의 학습동기를 유발하기 위한 방안을 교사지도성 행동의 측면에서 2가지 논하시오. 14 중등 교육학 논술 '일부'

MEMO

01

④ Ⅳ형(관점 추론형 – 실질적 제시문) : 지시문과 제시문을 분석하여 특정 관점을 추론하고, 제시문에서 근거를 찾고 답안을 추론하여야 한다. 지시문과 제시문의 유기적 분석과 관련성이 중요하다. 가장 어려운 유형이다.

예 • 다음은 A 중학교의 학교교육계획서 작성을 위한 워크숍에서 교사들의 분임 토의 결과의 일부를 교감이 발표한 내용이다. 이 내용을 바탕으로 A 중학교가 내년에 중점을 두고자 하는 1) 교육 목적을 자유교육의 관점에서 논하고, 2) 교육과정 설계 방식의 특징, 3) 학습동기 향상을 위한 학습 과제 제시 방안, 4) 학습조직의 구축 원리를 각각 3가지씩 설명하시오. 15 중등 교육학 논술

배 점

- 논술의 내용 [총 16점]
  - 자유교육 관점에서의 교육 목적 논술 [4점]
  - 교육과정 설계 방식의 특징 3가지 설명 [4점]
  - 학습동기 향상을 위한 학습 과제 제시 방안 3가지 설명 [4점]
  - 학습조직의 구축 원리 3가지 설명 [4점]
- 답안의 논리적 구성 및 표현 [총 4점]

• 다음은 ○○초등학교의 교사 협의회에서 수업 중 학생 행동 관리에 대해 교사들이 나눈 대화의 일부이다. 신 교사와 김 교사가 각각 학생 행동 관리의 기본 원리로 채택하고 있는 학습이론을 대화 내용에서 근거를 찾아 논하시오. 16 초등 교직 논술 '일부'

Chapter 03

논술의 채점

MEMO

01 논술의 평가 원칙

논술 평가는 일반적으로 내용, 논리, 표현의 3대 영역으로 이루어진다.

1 내용 영역

문제 파악	• 문제가 요구하는 것의 정확한 포착과 논의 • 문제의 핵심과 본질에 초점을 맞춘 논의
사실의 이해	• 논의 대상에 대한 포괄적인 이해 • 사실에 대한 정확하고 구체적인 이해
해결의 능력	• 문제의 성격에 맞는 적절한 해결 방법 • 문제의 해결에 필요한 적절한 절차(사실과 논리에 맞춘 타당한 해결)
논지의 적절성	• 논술에 필요한 적절한 창의성과 보편성 • 결론 도출 과정의 타당성과 결론의 적절한 가치

2 논리 영역(구성 영역)

논의의 일관성	• 논증할 주제의 통일성 · 일관성 있는 서술 • 논증에 쓰인 개념과 판단의 일관된 의미 유지
논거 제시의 적합성	• 논제를 증명하기 위해 제시된 논거의 적절성 • 논거의 확실성과 참신성
논증 방식의 타당성	• 논증을 위한 추론 과정의 적절성 • 논리적 오류나 비약의 유무

3 표현 영역

어휘의 정확성과 풍부성	• 사용한 어휘의 정확성과 풍부성 • 사용한 어휘가 지닌 문맥적 의미의 적절성
문장의 정확성과 효율성	• 어법과 표기법에 맞는 문장 표현 • 의미가 명료하고 문맥에 적절한 문장
글의 단위성과 유기성	• 개개 문단의 통일성과 응집성 • 문단 구성과 글 전체의 유기성(긴밀성)

✎ 논술 문제에 제시된 〈유의 사항〉을 지키지 않으면 감점한다. 한편, 상기 10가지 평가 요소를 적용하는 대신에 ① 주제의 명료성, ② 논거의 적절성, ③ 논리적 구성과 전개, ④ 사고의 독창성, ⑤ 표현의 적절성 등으로 적용하는 경우도 많다.

MEMO

02 교육학 논술의 채점

교육학 논술은 20점이 만점이며, 채점은 문제지 하단에 제시된 〈배점〉 기준표에 따른다. 〈배점〉 기준표는 일반적으로 ① 논술의 내용(총 15점), ② 논술의 체계(총 5점) 2대 영역으로 구성된다. 논술의 내용은 '내용 영역'이며, 논술의 체계는 '논리 영역', '표현 영역'을 묶은 것이다. 구체적으로 살펴보면 다음과 같다.

1 〈배점〉 기준표 예시

(1) 2015학년도 교육학 논술(상반기)

배 점

• 논술의 내용 [총 15점]
  – 기능론적 관점에서 학교 교육의 선발 · 배치 기능 및 한계 각각 2가지만 제시 [4점]
  – 학교 조직의 관료제적 특징과 이완결합체제적 특징 각각 2가지만 제시 [4점]
  – 일반적 교수체제설계에서 분석 및 설계 과정의 주요 활동 각각 2가지만 제시 [4점]
  – 준거지향평가의 개념을 설명하고, 장점 2가지만 제시 [3점]

• 답안의 논리적 구성 및 표현 [총 5점]
  – 논술의 내용과 '학교 교육에서의 교사의 과제'와의 연계 및 논리적 형식 [3점]
  – 표현의 적절성 [2점]

MEMO

(2) 2016학년도 교육학 논술

배 점

- 논술의 구성 요소 [총 15점]
  - '수업 구성'에 나타난 교육과정 유형의 장점 및 문제점 각각 2가지 [4점]
  - 김 교사가 실시하려는 평가 유형의 기능과 효과적인 시행 전략 각각 2가지 [4점]
  - 에릭슨(E. Erikson)의 정체성발달이론에 제시된 개념 1가지(2점)와 반두라(A. Bandura)의 사회인지학습이론에 제시된 개념 1가지(1점) [3점]
  - '학교 내 조직 활동'에 나타난 조직 형태가 학교 조직과 구성원에 미치는 순기능 및 역기능 각각 2가지 [4점]
- 논술의 구성 및 표현 [총 5점]
  - 논술의 구성 요소와 '교사가 갖추어야 할 역량'과의 연계 및 논리적 형식 [3점]
  - 표현의 적절성 [2점]

2 〈배점〉 기준표 해석

일반적으로 '논술의 내용(논술의 구성 요소)'은 총 15점, '논술의 구성 및 표현'은 총 5점을 배점한다. 그런데 2015학년도에서는 내용 논점이 많아서 '논술의 내용'을 총 16점, '답안의 논리적 구성 및 표현'(논술의 체계)을 총 4점으로 배점하였다. 이는 예외적인 경우에 해당한다. 〈배점〉 기준을 구체적으로 설명하면 다음과 같다.

(1) 논술의 내용(논술의 구성 요소) (총 15점)

문제 파악	• 문제가 요구하는 것을 정확히 포착하여 논의하는지 • 문제의 핵심과 본질에 초점을 맞춰 논의하는지
사실의 이해	• 논의 대상을 포괄적으로 이해하고 있는지 • 사실에 대한 이해가 정확하고 구체적인지
해결의 능력	• 문제의 성격과 요구에 맞게 적절하게 답안을 쓰는지 • 사실과 논리에 맞춰 적절하고 타당하게 해결을 하는지
논지의 적절성	• 논술에 필요한 적절한 창의성과 보편성을 갖추었는지 • 결론 도출 과정과 답안이 모범답안에 비추어 타당성이 있는지

쉽게 설명하면, '논술의 내용' 영역의 채점 기준은 출제자가 작성한 각 논점별 '모범답안' 및 '유사답안'이다. 이를 기준으로 수험생의 답안이 얼마나 타당한지를 평가한다. 모범답안 및 유사답안은 위의 평가 요소를 모두 충족시키는 것으로, 수험생은 모범답안에 유사한 답안을 써야 득점할 수 있다. 따라서 교육학 논술의 내용을 쓸 때는 주어진 문제를 정확하게 이해하여야 하며, 문제의 핵심과 본질에 초점을 맞춰 논의하되 관련된 교육학 지식을 정확하고 구체적으로 써 주어야 한다.

MEMO

01

(2) 논술의 구성 및 표현(답안의 논리적 구성 및 표현) (총 5점)

① 논술의 구성(3점) – 답안의 논리적 구성 또는 논술의 내용(구성 요소)과 주제와의 연계 및 논리적 형식

'논술의 구성'은 논술 평가 영역 중 '논리 영역'에 해당한다. '논술의 구성'(2016학년도)은 '답안의 논리적 구성'(2015학년도)으로 진술되기도 하고, '논술의 내용과 주제와의 연계 및 논리적 형식'(2015학년도 상반기), 또는 '논술의 구성 요소와 주제와의 연계 및 논리적 형식'(2016학년도)으로 진술되기도 한다. 표현 방식이 약간 다를지라도 모두 '논리 영역(구성 영역)'을 의미한다.

주제와의 연계성 (논의의 일관성)	• 논증할 주제를 통일성 · 일관성 있게 서술하는지 • 논술의 내용(구성 요소)과 주제가 연계성이 있는지
근거 설정 능력 (논거 제시의 적합성)	• 주장과 논거가 논리적 타당성과 적절성을 갖추었는지 • 견해가 제시문의 논의에 의거하여 적절한 뒷받침을 받는지
구성 조직 능력 (논증 방식의 타당성)	• 서론 · 본론 · 결론의 논리 전개 형식을 갖추고, 글을 체계적으로 전개하는지 • 논증을 위한 추론 과정이 적절하며, 논리적 오류나 비약이 없는지

논술의 구성, 즉 논술의 내용(구성 요소)과 주제와의 연계 및 논리적 형식은 보통 3점을 배점한다. 위의 평가 요소에서 각 항목별로 1점씩 배점하여 총 3점을 배점한다. 2015학년도 상반기 시험과 2016학년도 시험에서는 '논술의 구성'(답안의 논리적 구성)을 구체적으로 풀어서 '논술의 내용과 주제와의 연계 및 논리적 형식'(2015학년도 상반기), 또는 '논술의 구성 요소와 주제와의 연계 및 논리적 형식'(2016학년도)이라 하였다. 이 경우 '논술의 내용과 주제와의 연계성'에 1점, '논리적 형식'에 2점이 배점된다. 논리적 형식은 근거 설정 능력(논거 제시의 적합성), 구성 조직 능력(논증 방식의 타당성)을 의미한다.

답안은 전체적으로 서론 · 본론 · 결론의 논리 전개 형식을 갖춰 체계적으로 서술하여야 한다. 본론의 내용은 주제와 연계하여 서술해야 하며, 그 주제가 통일성과 일관성을 갖출 수 있도록 해야 한다. 또, 출제자가 요구하는 질문에 명료하게 답변(주장)하되, 적절한 논리와 논증, 논거를 갖춰 글이 설득력을 지닐 수 있도록 해야 한다.

MEMO

② 표현의 적절성(2점)

어휘의 정확성과 풍부성	• 사용한 어휘(교육학 어휘 포함)가 정확하고 풍부한지 • 사용한 어휘(교육학 어휘 포함)가 문맥적으로 적절한지
문장의 정확성과 효율성	• 문장 표현이 어법과 표기법에 맞는지 • 문장의 의미가 명료하고, 문장을 문맥에 맞게 적절하게 표현하는지
글의 단위성과 유기성	• 개개 문단이 통일성과 응집성을 갖추었는지 • 문단 구성이 바르고, 글 전체가 유기성(긴밀성)을 갖추었는지

'표현의 적절성'은 논술 평가 영역 중 '표현 영역'에 해당한다. 표현의 적절성은 2점이 배점되어 있다. 위의 각 항목을 모두 충족하면 2점, 2개를 충족하면 1점, 1개만 충족하면 0점이다. 평소 정확한 어휘 사용, 간결한 문장 표현, 어법에 맞는 문장 표현, 문단 구성 능력 등을 함양해 둘 필요가 있다.

'표현의 적절성'에서는 교육학 용어의 사용에 특히 주의해야 한다. 문제가 교육학 개념이나 용어의 사용을 요구하면 반드시 사용하여야 한다. 교육학 용어를 문제에 맞게 정확하게 선택하고, 정확하게 설명해야 한다.

MEMO

01

03 임용 논술의 실제 채점 원칙

1 모범답안 및 채점기준의 비공개 원칙

모범답안과 채점기준은 '공공기관의 정보공개에 관한 법률' 제9조 1항과 제5호의 규정 및 '중등교사 신규임용 전형 공동관리위원회'의 결정에 따라 공개하지 않는다. 채점기준은 미국 등의 다른 나라에서도 비공개를 원칙으로 한다. 기입형, 서술형, 논술형 등 주관식 시험에서 모범답안과 채점기준을 공개할 경우 그 답안은 모범답안이 아니라 정답이 되며, 모범답안에 매우 타당한 유사답안을 인정할 수 없게 된다. 그리하여 유사답안을 작성한 수험생의 이의 제기가 속출할 것이며, 이것의 타당성 여부와 심사 등으로 인해 정해진 일정 속에 이루어지는 임용시험의 관리가 매우 어려워질 것이기 때문이다.

2 채점위원 선정과 채점방식의 원칙

채점위원은 시도교육청에서 추천한 현직 교사로 구성된다. 대개 40세 미만의 젊은 교사가 다수이다. 채점위원 수는 채점의 정확성과 신뢰성을 확보하기 위해 1일 채점 분량을 산출한 후 그것에 필요한 인원수를 선정한다.

채점의 진행은 다음과 같다. 먼저, 전체 워크숍을 가진다. 여기서 채점 원칙과 방향, 채점방법, 채점상 유의점 등에 대해 설명한다. 다음, 과목별 채점과 관련한 사전 교육을 실시한다. 구체적으로 살펴보면, 과목별로 출제위원들의 채점위원들을 대상으로 한 모범답안과 채점기준에 대한 설명 및 연수, 출제위원과 채점위원들 간의 질의응답 및 논의, 여러 차례에 걸친 가채점과 여기서 나타난 유사답안의 확인, 채점자 간 채점 신뢰도의 확인 등 사전교육을 철저히 한다. 마지막으로, 본 채점을 실시한다. 이때 어떤 문항에 대한 채점자 간 점수가 일정 범위를 넘어서면 자동으로 해당 문항의 채점자 전원이 재채점을 하도록 되어 있다.

04 교육학 논술 답안지

(1교시) **중등학교교사 임용후보자 선정경쟁시험 제1차 시험 답안지**

본인은 응시자 유의 사항을 숙지하였으며 이를 지키지 않아 발생하는 모든 불이익을 감수할 것을 서약합니다.	수험번호	① ②	※ 결시자 확인란(응시자는 표기하지 말 것)	
성 명		⓪ ① ② ③ ④ ⑤ ⑥ ⑦ ⑧ ⑨	- 결시자 성명과 수험 번호 기재 - 검은색 필기구로 결시자 수험 번호, 쪽 번호와 우측란을 '●'로 표기	○
		① ② ③ ④ ⑤ ⑥ ⑦ ⑧ ⑨		
		⓪ ① ② ③ ④ ⑤ ⑥ ⑦ ⑧ ⑨		
교육학 논술 전용 답안지	쪽 번호 ① ②	⓪ ① ② ③ ④ ⑤ ⑥ ⑦ ⑧ ⑨	※ 감독관 확인란(응시자는 표기하지 말 것)	
		⓪ ① ② ③ ④ ⑤ ⑥ ⑦ ⑧ ⑨	- 본인 여부, 성명, 수험 번호, 쪽 번호 기록이 정확한지 확인 후 서명/날인 - 결시자는 위의 결시자 확인란에도 표기	(서명 또는 날인)
		⓪ ① ② ③ ④ ⑤ ⑥ ⑦ ⑧ ⑨		
		⓪ ① ② ③ ④ ⑤ ⑥ ⑦ ⑧ ⑨		

1. 수험 번호와 쪽 번호는 검은색 필기구를 사용하여 '●'로 표기하시오.
2. 답안은 지워지거나 번지지 않는 동일한 종류의 검은색 필기구를 사용하여 작성하시오(연필, 번지거나 지워지는 펜, 수정테이프 또는 수정액 등 사용 불가).
3. 응시자 유의 사항을 위반하여 작성한 답안은 채점 시 불이익을 받을 수 있으니 유의하시오.

1교시 중등학교교사 임용후보자 선정경쟁시험 제1차 시험 답안지

본인은 응시자 유의 사항을 숙지하였으며 이를 지키지 않아 발생하는 모든 불이익을 감수할 것을 서약합니다.	수험번호		① ②	※ 결시자 확인란(응시자는 표기하지 말 것)	
성 명			⓪ ① ② ③ ④ ⑤ ⑥ ⑦ ⑧ ⑨	- 결시자 성명과 수험 번호 기재 - 검은색 필기구로 결시자 수험 번호, 쪽 번호와 우측란을 '●'로 표기	○
			① ② ③ ④ ⑤ ⑥ ⑦ ⑧ ⑨		
			⓪ ① ② ③ ④ ⑤ ⑥ ⑦ ⑧ ⑨		
			⓪ ① ② ③ ④ ⑤ ⑥ ⑦ ⑧ ⑨	※ 감독관 확인란(응시자는 표기하지 말 것)	
교육학 논술 전용 답안지	쪽 번호		⓪ ① ② ③ ④ ⑤ ⑥ ⑦ ⑧ ⑨	- 본인 여부, 성명, 수험 번호, 쪽 번호 기록이 정확한지 확인 후 서명/날인 - 결시자는 위의 결시자 확인란에도 표기	(서명 또는 날인)
	① ②		⓪ ① ② ③ ④ ⑤ ⑥ ⑦ ⑧ ⑨		
			⓪ ① ② ③ ④ ⑤ ⑥ ⑦ ⑧ ⑨		

1. 수험 번호와 쪽 번호는 검은색 필기구를 사용하여 '●'로 표기하시오.
2. 답안은 지워지거나 번지지 않는 동일한 종류의 검은색 필기구를 사용하여 작성하시오(연필, 번지거나 지워지는 펜, 수정테이프 또는 수정액 등 사용 불가).
3. 응시자 유의 사항을 위반하여 작성한 답안은 채점 시 불이익을 받을 수 있으니 유의하시오.

권지수의 탁월한 만점전략

합격하는
교육학
논술 작성법

교육학 논술의 실제

Chapter 01

논술 작성의 7단계

MEMO

논술 작성의 전체 과정을 순서대로 살펴본다. 실제 논술 문제를 받았을 때부터 한 편의 완성된 논술문이 나오기까지의 과정을 선조적으로 살펴봄으로써 논술의 실제를 구체적으로 이해하고자 한다. 여기서 제시하는 논술 작성의 7단계는 한 편의 논술문이 완성되기까지의 과정을 도막도막 세분해 놓은 것이다. 실제 논술문을 쓰는 과정에서 맞부딪치게 되는 활동을 7단계로 분류하였다. 논술문을 쓸 때마다 이 하나하나의 단계를 거치며 훈련하면 자신의 논술 능력을 성장시키는 데 매우 효과적일 것이다.

제1단계 논제 파악	문제에서 요구하는 논점이 무엇인지 정확히 분석하여 파악한다.
⬇	
제2단계 주제문 작성	논술문 전체에서 주장하고자 하는 중심 생각을 확정한다.
⬇	
제3단계 개요 작성	논술문 전체의 뼈대를 구축한다.
⬇	
제4단계 서론 쓰기	서론은 주의 환기와 문제 제기로 서술한다.
⬇	
제5단계 본론 쓰기	본론은 배점을 생각하면서 탄탄한 논거를 토대로 주장을 전개한다.
⬇	
제6단계 결론 쓰기	결론은 지금까지의 논의를 정리하고 전망한다.
⬇	
제7단계 수정하기	다 쓴 글을 빠르게 읽어 가며 잘못된 부분을 바로잡는다.

논술 작성의 7단계

MEMO

02

01 논제 파악

논술의 시작은 논제 파악이다. 논제 파악이 논술의 생명이자 논술 탄생의 원초다. 논제 파악을 잘못하면 아무리 실력을 갖춘 수험생일지라도 0점을 받을 수밖에 없다. 출제자의 요구가 무엇인지 정확히 파악하는 것이 가장 중요한 이유이다. 출제자의 요구는 논술에 제시된 문제이며 이를 '논제'라고 한다. 따라서 논제를 파악하려면 논술 문제의 핵심을 정확히 분석해야 한다. 이를 위해서는 '지시문 읽기 ⇨ 배점 기준표 확인 ⇨ 제시문 읽기 ⇨ 핵심 논점별 중심 내용 떠올리기'의 순서로 사고를 진행하여야 한다.

> 지시문 읽기 ⇨ 배점 기준표 확인 ⇨ 제시문 읽기(핵심 논점별로 끊어 읽기)
> ⇨ 핵심 논점별로 중심 내용 떠올리기(+ 제시문의 논거 활용 여부 판단)

1 논제 파악 방법

(1) **지시문 읽기** – 출제자의 요구 사항(주요 핵심 논점) 및 제약 조건(유의 사항) 파악, 출제 의도 파악

먼저 지시문을 읽는다. 지시문은 논술 문제의 맨 첫머리에 나오는 문장들로 논술의 주요 방향을 안내하는 글이다. 지시문을 읽을 때에는 주요 핵심어나 논점에 표시(예 네모, 세모, 동그라미, 밑줄 등)를 해 가며 무엇을 묻고 있는지를 정확히 파악해야 한다. 출제자의 요구 사항('주요 핵심 논점')은 무엇인지, '제약 조건(유의 사항)'에는 어떤 것이 있는지, '출제 의도'는 무엇인지 등을 분명하게 파악하도록 한다.

기출 예제

> **2016학년도 교육학 논술**
>
> 다음은 A 중학교에 재직 중인 김 교사가 작성한 자기개발계획서의 일부이다. 김 교사의 ① 자기개발계획서를 읽고 ② 예비 교사 입장에서 '**교사가 갖추어야 할 역량**'이라는 주제로 ③ 교육과정 및 평가 유형, 학생의 정체성발달, 조직 활동에 대한 내용을 구성 요소로 하여 ④ 서론, 본론, 결론의 형식을 갖추어 논하시오.

[예제]의 지시문을 보면, '자기계발계획서'를 토대로 논술 문제를 만들었음을 알 수 있다. 다르게 말하면 논술 문제를 만들기 위해 '자기개발계획서'를 인위적으로 만든 것이다. '자기개발계획서'는 지시문 밑에 제시문의 형태로 제시되어 있다.

먼저, 출제자의 요구 사항('주요 핵심 논점')을 파악한다. 지시문의 첫째 요구 사항(①)은 제시문에 제시된 '자기개발계획서'를 읽으라는 것이다. 그것을 읽으면 출제 논점을 파악할 수 있다는 것이다. 제시문은 지시문을 다 읽은 후 읽을 예정이니까 문제를 다시 들여다보라.

MEMO

둘째 요구 사항(②)은 "예비 교사 입장에서 '교사가 갖추어야 할 역량'이라는 주제"로 논하라는 것이다. 그것도 진한 글씨로 강조하고 있다. 그러니까 논술문의 주제를 출제자가 미리 특정했음을 알 수 있다. 원래 논술문은 하나의 주제가 완결된 논술문 속에 표현되어 있어야 한다. 즉, 논술문에서는 자신의 생각이 하나의 주제를 중심으로 드러나야 한다. 그 주제는 논술문을 쓰는 사람에 따라 다양할 수밖에 없다. 그런데 [예제]의 2016학년도 교육학 논술에서는 그 주제를 미리 특정하고 있으며, 그것을 중심으로 논의하라고 요구하고 있다. 이 요구 사항은 매우 중요한 사항이므로 절대 간과해서는 안 된다. 배점 기준표를 보면 배점 요소에도 들어가 있음을 알 수 있다. 따라서 본론을 작성할 때 "교사가 갖추어야 할 역량"을 반드시 논의하여야 한다. 실제 수험생들의 90% 이상은 이를 무시하였고, 그 결과 득점에서 매우 손해를 봤던 것이다. 셋째 요구 사항(③)은 "교육과정 및 평가 유형, 학생의 정체성발달, 조직 활동에 대한 내용을 구성 요소"로 하여 쓰라는 것이다. 이것은 논술 문제의 '핵심 논점들'이다. 핵심 논점이 4개임을 알 수 있다. 본론에서 각 핵심 논점들을 '소주제'로 삼아 별개의 문단으로 논의해야 한다. 이 핵심 논점들은 이후에 논술 문제 하단에 제시된 '배점 기준표'와 '제시문'을 보면서 다시 '핵심 논점을 구체화'한다. 그러고 나서 그 '구체적인 핵심 논점들'을 중심으로 하여 본론을 전개하는 것이다. 넷째 요구 사항(④)은 "서론, 본론, 결론의 형식"을 갖추라는 것이다. 즉, 개조식으로 쓰지 말고 논술의 형식을 갖추어 쓰라는 것이다. 이것은 배점 기준표에 배점되어 있는 "논리적 형식" 사항에 해당한다. 교육학 논술은 교육학의 내용 요건에 논술의 형식 요건(서론, 본론, 결론)을 갖춰 자신의 생각을 피력하는 것이다.

다음, 지시문에서 확인할 수 있는 제약 조건(유의 사항)에는 어떤 것이 있는지 확인한다. 물론 이 제약 조건은 배점 기준표를 보며 다시 확인해야 한다. 먼저, [예제]의 지시문에서 확인할 수 있는 제약 조건은 첫째, 논술문의 주제를 임의로 정하지 말고 "교사의 역량"을 주제로 삼으라는 것이며(②), 둘째, "서론, 본론, 결론의 형식"을 갖추라는 것(④)이다. 다음, 배점 기준표에서 확인할 수 있는 제약 조건은 그 모두를 '배점 요소'에 포함시키겠다는 것이다. 따라서 이와 같은 제약 조건(유의 사항)에 주의를 기울이면서 글을 써야 한다.

마지막으로, 출제자의 출제 의도가 무엇인지 파악한다. 출제 의도는 '지시문'과 '배점 기준표'를 함께 보면서 핵심 논점들을 확정하면 쉽게 드러난다. 물론 이후에 '제시문'을 읽고 나면 구체적인 핵심 논점들이 더욱 분명해진다. [예제]의 지시문에서 확인할 수 있는 출제 의도는 한 마디로 '교사는 여러 방면에서 역량을 갖추어야 한다.'라는 것이다. 그 '여러 방면'은 논술 문제의 '핵심 논점'들로 대표된다. 그렇다면 지시문과 배점 기준표를 통해 확인할 수 있는 출제자의 출제 의도는 무엇일까? 그것은 '교사는 교과 역량(수업 역량), 평가 역량, 진로 지도 역량, 조직 활동 역량을 갖추고 있어야 한다.'라는 것이다. 여기서 한 번 더 생각해 보자. 교사는 왜 이와 같은 전문적인 역량을 갖추어야 할까? 예비교사의 입장에서 볼 때,

MEMO

02

교사는 왜 수업과 평가, 진로 진도, 조직 활동에서 전문적인 역량을 갖추고 있어야 할까? 한 마디로 그런 것들은 모두 학생 교육을 위하여 교사에게 필수적으로 요청되는 중요한 능력이기 때문이다. 다시 말하면, 학생의 교육적 성장을 위해서는 여러 면에서 교사의 전문적인 역량이 매우 요구되기 때문이다. 바로 이 점은 매우 중요한 것을 시사한다. 출제자의 출제 의도가 곧 수험생 자기 논술의 중심 생각이면서 자기 논술문의 주제로 확정되는 순간이기 때문이다. 즉, '출제자의 출제 의도 = 논술문의 중심 생각 = 논술문의 주제'가 된다. 이러한 출제자의 출제 의도(= 논술문의 주제)가 논술문 작성 시 서론의 도입 첫 문장부터 드러나면 매우 효과적이며 강한 인상을 준다. 출제자의 출제 의도가 수험생의 중심 생각(논술문의 주제)으로 서론에 고스란히 담겨 있기 때문에 서론의 역할 중 하나인 '주의 환기'가 아주 잘 된 글이 된다. 더욱 중요한 것은 글의 시작부터 논제 파악이 잘 되어 있다는 강한 인상을 주고, 읽고 싶으면서 아주 매력적인 논술문이 된다는 점이다.

(2) 배점 기준표 확인 – 논술의 두 영역 배점 확인, 핵심 논점 및 세부 논점별 배점 분석

지시문을 읽고 출제자의 요구 사항(문제의 논점)과 제약 조건(유의 사항), 출제 의도를 모두 정확하게 파악했으면 이제 '배점 기준표'를 읽을 차례다.

배점 기준표를 읽을 때에는 다음의 순서에 따른다. 첫째, 논술의 두 영역별 배점을 확인한다. 논술의 영역별 배점은 크게 '두 영역'으로 구성된다. 하나는 '논술의 내용(핵심 논점)' 영역이고, 다른 하나는 '논술의 형식(논리 및 표현)' 영역이다. 두 영역에 각각 총점 몇 점씩 배점되어 있는지 살펴본다. 보통 전자는 15점, 후자는 5점을 배점한다.

둘째, '논술의 내용' 영역에 딸린 배점들을 확인한다. 먼저, '핵심 논점'별 배점을 확인한다. 이 핵심 논점은 본론 문단에서 하나씩 '소주제'를 구성하게 된다. 이때 배점 기준표에 제시된 핵심 논점들은 반드시 좀 전에 읽었던 '지시문'과 견주어 읽어야 한다. 지시문과 배점 기준표를 함께 보면서 '핵심 논점'들을 찾아 모두 표시(예 네모, 세모, 동그라미, 밑줄 등)하고 확정한다. 물론 보다 '구체적인 핵심 논점들'은 이후에 '제시문'을 읽어야 확정된다. 다음, 각 핵심 논점별 '세부 논점(작은 논점)'의 배점을 분석한다. 핵심 논점별 배점은 배점 기준표를 보면 금방 알 수 있지만, 세부 논점(작은 논점)별 배점은 자신이 직접 추론해야 한다. 논점에 따라 추론하기가 매우 어려운 경우도 있다. 이럴 때에는 자신이 출제자라면 어떤 기준에 근거해서 점수를 부여할지 꼭 생각해 보아야 한다. 그러고 나서 세부 논점(작은 논점)들의 점수를 정확하게 간파해야 한다. 이것이야말로 본론 쓰기에서 정말 중요한 부분 중의 하나이다. 득점과 바로 직결되는 부분이기 때문이다. 작은 점수가 모여 큰 점수가 되듯이 세부 논점(작은 논점)들의 배점을 정확히 파악해야 점수를 빠뜨리지 않고 논의할 수 있다.

MEMO

셋째, '논술의 구성 및 표현'(논리 및 표현) 영역에 딸린 배점들을 확인한다. 먼저, '핵심 논점'별 배점을 확인한다. 보통 ① "논술의 구성 요소와 '교사가 갖추어야 할 역량'과의 연계 및 논리적 형식 [3점]"과 ② "표현의 적절성 [2점]"으로 구성된다. 전자는 '논술의 논리 영역(구성 영역)'이고, 후자는 '논술의 표현 영역'을 의미한다. 다음, '세부 논점(작은 항목)'들의 점수가 어떻게 결정되는지 미리 파악해 놓아야 한다. 보통 ① "논술의 구성 요소와 '교사가 갖추어야 할 역량'과의 연계 및 논리적 형식 [3점]"(= '논술의 논리 영역(구성 영역)')은 '논술의 내용과 주제와의 연계성'에 1점, '논리적 형식'에 2점을 배점한다. 논리적 형식은 논거 제시의 적합성(근거 설정 능력), 논증 방식의 타당성(구성 조직 능력)을 의미한다. 따라서 논술 답안은 전체적으로 서론·본론·결론의 논리 전개 형식을 갖춰 체계적으로 서술되어야 한다. 그리고 본론의 내용은 주제와 연계하여 서술되어야 하며, 그 주제가 통일성과 일관성을 갖추고 있어야 한다. 또, 출제자가 요구하는 질문에 명료하게 답변(주장)하되, 적절한 논리와 논증, 논거를 갖춰 글이 설득력을 지닐 수 있어야 한다. 또, ② "표현의 적절성 [2점]"(= '논술의 표현 영역')은 '어휘의 정확성과 풍부성, 문장의 정확성과 효율성, 글의 단위성과 유기성'을 기준으로 각 항목을 모두 충족하면 2점, 2개를 충족하면 1점, 1개만 충족하면 0점이다. 평소 정확한 어휘 사용, 간결한 문장 표현, 어법에 맞는 문장 표현, 문단 구성 능력 등을 함양해 둘 필요가 있다. '표현의 적절성'에서는 교육학 용어의 사용에 특히 주의해야 한다. 문제가 교육학 개념이나 용어의 사용을 요구하면 반드시 사용하여야 한다. 교육학 용어를 문제에 맞게 정확하게 선택하고, 정확하게 설명해야 한다.

2016학년도 교육학 논술

배 점

- 논술의 구성 요소 [총 15점]
  - '수업 구성'에 나타난 교육과정 유형의 장점 및 문제점 각각 2가지 [4점]
  - 김 교사가 실시하려는 평가 유형의 기능과 효과적인 시행 전략 각각 2가지 [4점]
  - 에릭슨(E. Erikson)의 정체성발달이론에 제시된 개념 1가지(2점)와 반두라(A. Bandura)의 사회인지 학습이론에 제시된 개념 1가지(1점) [3점]
  - '학교 내 조직 활동'에 나타난 조직 형태가 학교 조직과 구성원에 미치는 순기능 및 역기능 각각 2가지 [4점]
- 논술의 구성 및 표현 [총 5점]
  - 논술의 구성 요소와 '교사가 갖추어야 할 역량'과의 연계 및 논리적 형식 [3점]
  - 표현의 적절성 [2점]

MEMO

02

[예제]의 배점 기준표를 보면, 논술 배점은 크게 두 영역으로 구성되어 있음을 알 수 있다. 하나는 논술의 내용(핵심 논점) 부분에 해당하는 "논술의 구성 요소 [총 15점]"이며, 다른 하나는 논술의 형식(논리 및 표현) 부분에 해당하는 "논술의 구성 및 표현 [총 5점]"이다. 이것을 구체적으로 살펴보자.

배점의 첫째 영역은 "논술의 구성 요소 [총 15점]"이다. 여기서 논술의 구성 요소는 논술의 내용을 말한다. 논술의 내용은 출제자의 '핵심 논점'이 된다. 첫째, 배점 기준표를 보면서 '핵심 논점'들을 확정하도록 한다. 핵심 논점이 총 4가지임을 알 수 있다. 그것은 "교육과정 유형(장점 및 문제점)(4점), 평가 유형(기능과 시행 전략)(4점), 에릭슨이 제시한 개념과 반두라가 제시한 개념(3점), 학교 내 조직 활동에 나타난 조직 형태(순기능 및 역기능)(4점)"이다. 이것은 본론 문단에서 각각 '소주제'를 구성하게 된다. 둘째, 각 핵심 논점별로 배당된 '배점'을 확인한다. 각각 4점, 4점, 3점, 4점이 배점되어 있음을 알 수 있다. 셋째, '작은 논점(세부 논점)'별 배점을 분석한다. 첫째 논점은 "교육과정 유형의 장점 및 문제점 각각 2가지 [4점]"이므로, 장점에 2점(1가지에 1점씩), 문제점에 2점(1가지에 1점씩)을 배점하고 있음을 알 수 있다. 둘째 논점은 "평가 유형의 기능과 효과적인 시행 전략 각각 2가지 [4점]"이므로, 평가 유형의 기능에 2점(1가지에 1점씩), 효과적인 시행 전략에 2점(1가지에 1점씩)을 배점하고 있음을 알 수 있다. 셋째 논점은 "에릭슨(E. Erikson)의 정체성발달이론에 제시된 개념 1가지(2점)와 반두라(A. Bandura)의 사회인지학습이론에 제시된 개념 1가지(1점) [3점]"이다. 그런데 여기서 한 가지 의문이 생겨야 정상이다. 똑같이 개념을 쓰는 문제인데, 왜 전자는 2점이고 후자는 1점일까? 이 질문이 해결되어야 본론에서 득점에 맞는 답안을 작성할 수 있다. 상식적으로 생각해 보면, 전자가 후자보다 더 비중이 있다는 것이다. 다시 말하면 무언가 좀 더 논의해 달라는 것이다. 그렇다면 무엇을 좀 더 논의해 달라는 것일까? 이것은 출제자의 시각에서 파악해야 할 일이다. 출제자는 에릭슨(E. Erikson)의 경우 '심리적 유예기'라는 개념이 매우 중요하기 때문에 '개념 제시' 및 '개념 설명'까지 요구하고 있는 것이며, 반두라(A. Bandura)의 경우 '모델링' 또는 '관찰학습'이라는 개념 정도로 족하다는 것이다. '심리적 유예기'의 개념과 달리 '모델링' 또는 '관찰학습'의 개념은 이미 제시문에 어느 정도 설명되어 있기 때문이다. 바로 이 점에서 출제자가 요구 사항을 파악할 수 있어야 하는 것이다. 마지막으로 넷째 논점은 "비공식 조직 형태가 학교 조직과 구성원에 미치는 순기능 및 역기능 각각 2가지 [4점]"이므로, 순기능에 2점(1가지에 1점씩), 역기능에 2점(1가지에 1점씩)을 배점하고 있음을 알 수 있다. 이렇게 하여 '핵심 논점별 세부 논점'과 '각각의 배점'들을 확정한다.

배점의 둘째 영역은 "논술의 구성 및 표현 [총 5점]"이다. 이 영역은 두 가지로 구성된다. 첫째, "논술의 구성 요소와 '교사가 갖추어야 할 역량'과의 연계 및 논리적 형식 [3점]"이며, 둘째, "표현의 적절성 [2점]"이다. 전자는 '논술의 논리 영역(구성 영역)'이고, 후자는 '논술의 표현 영역'을 의미한다. 먼저, '논술의 논리 영역(구성 영역)'의 배점을 살펴보면, '논술의 내용과 주제와

MEMO

의 연계성'에 1점, '논리적 형식'에 2점을 배점한다. 논리적 형식은 논거 제시의 적합성(근거 설정 능력), 논증 방식의 타당성(구성 조직 능력)을 의미한다. 다음, '논술의 표현 영역(표현의 적절성)'을 살펴보면, '어휘의 정확성과 풍부성, 문장의 정확성과 효율성, 글의 단위성과 유기성'을 기준으로 각 항목을 모두 충족하면 2점, 2개를 충족하면 1점, 1개만 충족하면 0점이다.

[예제]의 배점 기준표에 제시된 '내용 영역'별 구체적인 배점을 분석하면 다음과 같다.

2016학년도 교육학 논술

- 교육과정 유형의 장점 및 문제점 각각 2가지 [4점]
  ⇨ 경험중심 교육과정의 장점 및 문제점 각각 2가지 충실히 설명(각 1가지당 1점씩)
- 김 교사가 실시하려는 평가 유형의 기능과 효과적인 시행 전략 각각 2가지 [4점]
  ⇨ 형성평가의 기능 및 효과적인 시행 전략 각각 2가지 충실히 설명(각 1가지당 1점씩)
- 에릭슨(E. Erikson)의 정체성발달이론에 제시된 개념 1가지(2점)와 반두라(A. Bandura)의 사회인지 학습이론에 제시된 개념 1가지(1점) [3점]
  ⇨ 에릭슨이 제시한 '개념' 및 '개념 설명'(각 1점씩 2점), 반두라가 제시한 '개념'(1점)
- '학교 내 조직 활동'에 나타난 조직 형태가 학교 조직과 구성원에 미치는 순기능 및 역기능 각각 2가지 [4점]
  ⇨ 비공식 조직의 순기능 및 역기능 각각 2가지 충실히 설명(각 1가지당 1점씩)

(3) 제시문 읽기 – 핵심 논점 구체화 및 그 핵심 논점별 중심 내용 회상, 제시문의 논거 활용 여부 판단

논제 파악의 마지막 단계는 제시문 읽기이다. 제시문을 읽으며 제시문의 내용을 꼼꼼하게 분석한다. 제시문을 읽고 글의 내용을 분석하는 이유는 세 가지이다. 첫째는 배점 기준표에서 확인된 핵심 논점을 보다 '구체적인 핵심 논점'으로 확정하기 위한 것이고, 둘째는 구체적인 핵심 논점(소주제)의 '중심 내용'(개념 · 이론의 핵심 키워드)을 떠올리기 위한 것이며, 셋째는 '제시문의 기능'을 파악하여 논술의 논거로 활용할지 판단하기 위한 것이다. 하나씩 살펴보자.

첫째, '구체적인 핵심 논점들'을 확정한다('핵심 논점의 구체화'). 이것이 제시문 읽기의 첫 번째 과제이다. 배점 기준표에 제시된 '핵심 논점'만으로는 '구체적인 핵심 논점'이 바로 확정되지 않는 경우가 대부분이다. 배점 기준표에 제시된 핵심 논점들은 골격만 보여 줄 뿐이기 때문이다. 예를 들어, 지시문이나 배점 기준표에 특정 관점이 제시되어 있지 않은 경우(즉, 관점 추론형), 제시문을 토대로 그 관점을 찾아야 한다. 따라서 제시문을 바탕으로 핵심 논점들을 구체적인 논점으로 확정하는 일이 제시문 읽기의 첫째 과제이다. 이를 위해서 먼저 제시문을 읽을 때에는, 배점 기준표에 제시된 '배점'과도 결부시키면서, 반드시 핵심 논점

MEMO

02

단위(배점 기준표에 있는 대략 4~5개의 핵심 논점)로 끊어 읽어야 한다. 그리고 주요 핵심어에 표시(예 네모, 세모, 동그라미, 밑줄 등)하도록 한다. 특히 제시문 읽기에서는 사실적 읽기, 추론적 읽기, 비판적 읽기가 종합적으로 요구된다. 즉, 제시문에 나타난 사실을 정확히 파악하여 하고, 그 사실을 바탕으로 새로운 내용을 추론할 수 있어야 하며, 다른 관점에서 비판적으로 판단하며 읽을 수 있어야 한다. 이렇게 하여 제시문에서 '구체적인 핵심 논점들'을 추론하여 확정한다('핵심 논점의 구체화'). 이렇게 하면 본론에서 각 문단별 '소주제'도 확정된다.

둘째, 각각의 구체적인 핵심 논점(소주제)의 '중심 내용'(개념·이론의 핵심 키워드)을 떠올린다. 제시문에서 구체적인 핵심 논점들을 추론하여 확정하였으면, 그 각각의 핵심 논점별로 '중심 내용'(개념·이론의 핵심 키워드)을 떠올릴 차례이다. 이 단계에서는 '중심 내용(중심 생각)'만 떠올리도록 한다. 중심 내용은 설명 방법 중에서 '정의법'을 토대로 핵심 키워드나 간단한 개념 정의 정도만 떠올리면 족하다. 더 세부적이고 구체적인 내용들은 '개요 작성' 단계에서 할 일이다. 각각의 핵심 논점들과 관련된 '중심 내용'을 떠올리는 방법을 안내하면 다음과 같다. 먼저, 교육학 논술의 경우, 각각의 핵심 논점들이 교육학의 분과 학문 중에 어느 분과 학문에 속하는지 먼저 파악한다. 그러고 나서 분과 학문의 어떤 영역에 속하는지 생각해 낸다. 마지막으로 그 영역의 어떤 내용과 관련되는지 떠올린다. 이렇게 교육학의 내용을 순차적으로 찾아 들어가면 각각의 핵심 논점들과 관련된 '중심 생각(교육학 이론 및 개념)'을 쉽게 떠올릴 수 있다. 이 점은 전공 교과 논술도 마찬가지이다. 전공 교과의 분과 학문을 찾고, 거기서 관련 영역을 생각해 내고, 그 영역에 해당하는 내용들을 떠올리면 되는 것이다. 다음, 교직 논술의 경우, 특정 학문적 배경이 있는 경우에는 교육학 논술의 방법으로 접근한다. 그렇지 않은 경우에는 가장 먼저 제시문의 내용을 추론하여 내용을 추출한다. 다음 자신의 배경지식을 활용한다. 이런 것들이 여의치 않으면 마지막으로 창의적 사고 확장 기법(예 PMI 기법, 관점 분류법, 비교대조법, 인과관계법 등)을 동원한다. 창의적 사고 확장 기법을 사용하면 기대 이상으로 쉽게 핵심 내용을 추출할 수 있을 것이다.

셋째, 제시문의 논거 활용 여부를 판단한다. 이것은 제시문에서 구체적인 핵심 논점들을 파악하거나 핵심 논점별로 중심 내용을 떠올릴 때 이미 대부분 판단되는 사항이다. 제시문의 논거 활용 여부는 제시문의 실질적 기능 여부를 기준으로 판단하면 된다. 제시문이 실질적 역할을 하지 못하고 형식적 역할만 하는 경우에는 논술의 논거로 활용할 필요가 없다. 그러나 제시문이 없으면 논의가 안 되는 경우와 같이 제시문이 실질적인 기능을 하는 경우에는 반드시 논거로 활용하여야 한다.

마지막으로, 다소 여유가 있으면 각 핵심 논점별로 본론에서 '무엇을(내용 범위)', '어떻게(서술 방법)' 쓸 것인지 미리 생각해 두는 것도 좋다. 물론 이것은 '개요 작성' 단계에서 구체적으로 해야 할 일이다.

MEMO

기출 예제

2016학년도 교육학 논술

● 자기개발계획서

개선 영역	개선 사항
수업 구성	• 학생의 경험을 중시하는 교육과정을 실행할 것 • 학생의 흥미, 요구, 능력을 토대로 한 활동을 증진할 것 • 학생이 관심을 가지는 수업 내용을 찾고, 그것을 조직하여 학생이 직접 경험하게 할 것 • 일방적 개념 전달 위주의 수업을 지양할 것
평가 계획	• 평가 시점에 따라 적절한 평가 방법을 마련할 것 • 진단평가 이후 교수 · 학습이 진행되는 중간에 평가를 실시할 것 • 총괄평가 실시 전 학생의 학습 진전 상황에 관한 정보를 수집 · 분석할 것
진로 지도	• 진로를 결정하지 못한 학생의 경우 성급한 진로 선택을 유보하게 할 것 • 학생에게 다양한 진로를 접할 수 있는 충분한 탐색 기회를 제공할 것 • 선배들의 진로 체험담을 들려줌으로써 간접 경험 기회를 제공할 것 • 롤모델의 성공 혹은 실패 사례를 제공할 것
학교 내 조직 활동	• 학교 내 공식 조직 안에서 소집단 형태로 운영되는 다양한 조직 활동을 파악할 것 • 학교 구성원들의 욕구 충족을 위한 자발적 모임에 적극 참여할 것 • 활기찬 학교생활을 위해 학습조직 외에도 나와 관심이 같은 동료 교사들과의 모임 활동에 참여할 것

배 점

• 논술의 구성 요소 [총 15점]
  - '수업 구성'에 나타난 교육과정 유형의 장점 및 문제점 각각 2가지 [4점]
  - 김 교사가 실시하려는 평가 유형의 기능과 효과적인 시행 전략 각각 2가지 [4점]
  - 에릭슨(E. Erikson)의 정체성발달이론에 제시된 개념 1가지(2점)와 반두라(A. Bandura)의 사회인지학습이론에 제시된 개념 1가지(1점) [3점]
  - '학교 내 조직 활동'에 나타난 조직 형태가 학교 조직과 구성원에 미치는 순기능 및 역기능 각각 2가지 [4점]

• 논술의 구성 및 표현 [총 5점]
  - 논술의 구성 요소와 '교사가 갖추어야 할 역량'과의 연계 및 논리적 형식 [3점]
  - 표현의 적절성 [2점]

[예제]의 제시문을 보면, 자기계발계획서의 "개선 영역"은 크게 4부분으로 구성되어 있다. "수업 구성", "평가 계획", "진로 지도", "학교 내 조직 활동"이 그것이다. 이것은 모두 핵심 논점들이다. 제시문을 읽을 때 다음 순서로 진행한다. 첫째, 이 제시문을 배점 기준표의 핵심 논점과 연결하여 '구체적인 핵심 논점'을 확정하며, 둘째, 구체적인 핵심 논점(소주제)의 '중심 내용'(개념 · 이론의 핵심 키워드)을 떠올리며, 셋째, '제시문의 기능'을 파악하여 논술의 논거로 활용할지 판단한다. 이하에서 순서대로 살펴보자.

첫째, '구체적인 핵심 논점들'을 확정한다('핵심 논점의 구체화'). 핵심 논점들을 구체적으로 확정하려면 제시문을 배점 기준표의 핵심 논점들과 유기적으로 연결하며 읽어야 한다.

MEMO

02

먼저, 제시문을 배점 기준표에 제시된 핵심 논점 단위로 끊어 읽어 보자. 그러면서 제시문의 주요 핵심어에 표시(예 네모, 세모, 동그라미, 밑줄 등)하면서 그것에 함의된 '구체적인 핵심 논점들'을 추론하여 확정한다. 이것은 본론에서 '소주제'를 구성하며 하나의 문단으로 작성된다. [예제]를 살펴보자. [예제]에서 ① "'수업 구성'에 나타난 교육과정 유형"은 무엇인가? 제시문을 분석하여 '경험중심 교육과정'이라는 것을 추론하여 확정한다. 그러면 이것이 '구체적인 핵심 논점'이 되며('핵심 논점의 구체화'), 이것은 본론에서 '소주제'를 구성하게 된다. 이 소주제를 중심으로 본론에서 "경험중심 교육과정의 장점 및 문제점 각각 2가지"를 논의하게 될 것이다. ② "김 교사가 실시하려는 평가 유형"은 무엇인가? 역시 제시문을 분석하여 '형성평가'라는 것을 추론하여 확정한다. 역시 이 구체적인 핵심 논점을 토대로 본론에서 "형성평가의 기능과 효과적인 시행 전략 각각 2가지"를 논의하게 된다. ③ "에릭슨(E. Erikson)의 정체성발달이론에 제시된 개념 1가지(2점)와 반두라(A. Bandura)의 사회인지학습이론에 제시된 개념 1가지"는 무엇인가? 전자는 '심리적 유예기'이며, 후자는 '모델링(관찰학습)'이다. 이것을 본론에서 논의한다. ④ "'학교 내 조직 활동'에 나타난 조직 형태"가 무엇인가? 제시문을 분석하여 '비공식 조직'을 추론한다. 본론에서 "비공식 조직 형태가 조직 형태가 학교 조직과 구성원에 미치는 순기능 및 역기능 각각 2가지"를 논의한다.

둘째, 각각의 구체적인 핵심 논점(소주제)의 '중심 내용'(개념 · 이론의 핵심 키워드)을 떠올린다. 제시문에서 구체적인 핵심 논점들을 추론하여 확정하였으면, 이제 그 핵심 논점별로 '중심 내용'(개념 · 이론의 핵심 키워드)을 떠올리도록 한다. 이때 주의할 것은 그 핵심 개념이 교육학의 어느 분과 학문에 속하며 그 분과 학문 중 어떤 영역에 해당하는지 파악하는 일이다. 주소를 잘 찾아야 쉽게 관련 내용을 떠올릴 수 있기 때문이다. 만약 여의치 않으면 자신의 배경지식을 활용하거나, 창의적 사고 확장 기법(예 PMI 기법, 관점 분류법, 비교대조법, 인과관계법 등)을 동원한다. [예제]를 살펴보자. [예제]의 '경험중심 교육과정'은 '교육과정'에서 '교육과정의 유형'에 해당하는 내용이다. 이 정도만 떠올려도 경험중심 교육과정의 중심 내용을 쉽게 떠올릴 수 있을 것이다. 설명 방법 중 '정의법'을 토대로 간단하게만 정의하든지 키워드로만 그 중심 내용을 떠올려 놓으면 된다. 이런 식으로 하여, [예제]에서 ① '경험중심 교육과정'이란 무엇을 말하는지, ② '형성평가'란 무엇인지, ③ '심리적 유예기'와 '모델링(관찰학습)'이 무엇인지, ④ '비공식 조직'이란 무엇을 말하는지 등에 대해 각각 답변해 보도록 한다.

셋째, 제시문의 논거 활용 여부를 판단한다. 이것은 구체적인 핵심 논점을 파악하기 위해 제시문을 읽을 때 이미 판단될 것이다. 제시문의 논거 활용 여부는 제시문의 실질적 기능 여부를 기준으로 판단하면 된다. [예제]를 보자. [예제]의 제시문 내용들은 모두 '관점'을 추론하기 위한 기능을 할 뿐 논리 구성을 위한 논거의 역할은 하지 못함을 알 수 있다. 왜냐하면 예를 들어 첫 번째 제시문을 보면, 그 본론의 구체적인 핵심 논점이 "경험중심 교육과정의 장점 및 문제점 각각 2가지"인데, '경험중심 교육과정의 장점과 문제점'은 제시문에 없기 때문이다. 그러므로

MEMO

제시문을 논거로 활용하여 논의할 것이 전혀 없다. 다른 논점도 역시 마찬가지이다(다만, '진로 지도'의 내용은 논거로 활용할 여지가 어느 정도 있다). 그럼에도 불구하고 제시문을 활용할 것이라면 제시문의 핵심 키워드를 중심으로 간단하게만 활용하도록 한다. 예를 들어, '경험중심 교육과정'의 개념을 설명할 때 제시문의 핵심 키워드를 동원하여 설명해 주면 족한 것이다.

2 논제 파악에서 유의점

(1) 분석력과 종합력을 발휘한다.

논제 파악은 꼼꼼한 분석력과 유기적 종합력이 모두 필요하다. 지시문이나 제시문에 있는 내용을 하나하나 꼼꼼하게 따져야 하며, 그 분석된 내용들을 다시 유기적으로 연결하여 종합적인 관점에서 바라보는 태도가 필요한 것이다. 얼핏 보기에 각각의 핵심 논점들이 별개로 보일지라도, 출제자는 그 별개의 논점들을 상호 유기적으로 엮어 출제하려고 노력한다. 겉으로는 각 논점들이 별개의 부분을 이루고 있지만, 그것들이 전체로 연결될 수 있어야 한 편의 완성된 작품으로서 논술문이 탄생될 수 있기 때문이다. 논제 파악을 할 때 분석력과 종합력을 발휘하면 출제자의 고심한 흔적을 찾을 수 있을 것이다.

또한, 특히 지시문, 배점, 제시문의 내용은 모두 출제자가 의도적으로 조직해 놓은 것이라는 점에 유의해야 한다. 출제자는 이 모든 것에서 어느 하나라도 의미 없이 써 놓지 않는다. 이 점에 유의하여 논제 파악을 해야 출제자의 출제 의도를 보다 정확하게 찾을 수 있다.

(2) 자료의 범위를 벗어나지 않도록, 논제의 관점을 정확하게 확정해야 한다.

임용 논술 문제는 자료 제시형으로 출제된다. 특정 대상에 대해 자유롭게 쓰는 단독 과제형과 달리, 자료 제시형은 반드시 자료의 한정된 범위에 초점을 맞추어 논의해야 한다. 만약 그 논의가 자료의 정한 범위를 벗어나면 '논제 이탈'이 된다. 따라서 자료를 분석하여 논제의 관점을 정확하게 확정하지 못하면 바로 논제 이탈이 된다는 점에 꼭 유의해야 한다. 예를 들어, 2015학년도 교육학 논술의 경우, "교육과정 설계 방식의 특징 3가지를 설명"하라는 논점은 '타일러 모형'이 아니라 '백워드(backward)' 설계의 관점에서 특징을 설명하라는 것이다. 제시문에서 이 점을 정확히 확인할 수 있다. 제시문을 살펴보면, "종전의 방식은 평가 계획보다 수업 계획 중심으로 설계되어 있어서 교사가 교과의 학습 목표에 비추어 학생들이 배우는 내용을 올바르게 이해하였는지를 확인하는 데 한계가 있었습니다. …… 학생들의 학습 목표 달성 정도를 확인하는 데 유용한 교육과정 설계를 하고자 합니다."라고 제시되어 있다. 바로 이 점 때문에 논점은 '타일러 모형'이 아니라 '백워드(backward)' 설계의 관점으로 확정할 수 있게 된다. 그럼에도 불구하고 수험생의 90% 이상은 '타일러 모형'을 설명했다. 심지어 학원에서 교육학을 가르치는 강사들도 '처음에는' 대부분 그렇게 설명했다는 사실은 참으로 놀라운 일이다.

MEMO

02

또, "학습동기 향상을 위한 학습 과제 제시 방안 3가지를 설명"하라는 논점도 '일반적인 학습동기 향상'의 관점에서 관련되는 아무것이나 제시하라는 것이 아니다. 이 논점은 '켈러(Keller)의 ARCS 모형'에 근거하여 학습 과제 제시 방안을 설명하라는 것이다. 수험생은 제시문 분석을 통해 이렇게 논제의 관점을 정확하게 확정할 수 있어야 한다. 그럼에도 불구하고 이 논점 역시 수험생의 90% 이상이 막연한 동기 이론을 설명하고 말았던 것이다. 이 논점 역시 학원에서 교육학을 가르치는 강사들도 '처음에는' 그렇게 설명했다는 사실에서 수험생과 다를 것이 전혀 없다고 본다. 교육학에 나오는 동기 이론은 저마다 독특한 관점을 취하고 있다. 그 독특한 관점을 포착하지 못하면 이상과 같은 오류를 범하게 된다. 그런데 교육학을 공부하는 사람 거의 모두가 각각의 동기 이론들이 취하는 여러 가지 관점을 전혀 모르고 있다는 것이 문제이다. 참고로, 이 논점과 관련하여 설명하면, 학생들의 학습동기는 학생들 스스로 유발할 수 있는 것이 아니라 교사가 주도적으로 유발해 내야 한다는 관점이 있는데, 그것이 바로 '켈러(Keller)의 ARCS 모형'이다. 그렇기 때문에 학생들의 동기를 지속적으로 유발·유지하기 위해 학습 과제 제시 방안을 4가지 관점에서 제시하는 것이다. 이와 달리 학생들 스스로 동기화한다는 이론은 '기대×가치 이론'의 관점이다. 이와 같이 교육학의 동기 이론 전체에 관류하는 생각을 읽을 수 있어야 관련 논점을 정확히 파악할 수 있다. 몇 가지의 사례에서 알 수 있듯이 논제의 관점을 정확하게 확정하지 못하면 아무리 좋은 내용이라도 점수를 받을 수 없음을 명심해야 한다. 수험생은 제시문 분석을 통해 논제의 관점을 정확하게 확정할 수 있어야 한다.

교직 논술의 경우도 마찬가지이다. 예를 들어, 2016학년도 초등 교직논술의 경우, "신 교사와 김 교사가 채택한 학습이론과 그 근거"의 논점에서 신 교사는 행동주의 관점을 취한다고 막연하게 써서는 안 된다. 또, "학습이론"을 제시하라고 했으므로 '행동조성'이나 '토큰강화'와 같은 구체적인 행동수정기법을 써서도 안 된다. 제시문을 살펴보면, "상벌 기준을 명확히 제시하고 일관성 있게 적용하고 있어요. 규칙을 지킨 아이에게는 스티커를 주어 10개를 모을 때마다 상을 주고, 규칙을 어기는 아이에게는 벌점을 주고 일정 점수를 넘으면 정해진 벌칙을 적용합니다."라고 제시되어 있다. 이것은 행동주의 중에서 스키너 이론과 연관되며, 구체적으로 '강화이론'임을 확정할 수 있다. 이와 같이 제시문 분석을 통해 논제의 관점을 정확하게 확정할 수 있어야 한다.

(3) 제시문의 표현을 그대로 옮겨 쓰지 않는다.

제시문을 자신의 논거로 활용할 때에는 제시문의 표현을 그대로 옮겨 쓰지 않도록 유의한다. 표현력과 재구성력이 부족하다는 인상을 주기 때문이다. 따라서 제시문에서 그 내용을 논거로 활용할 때에는 핵심어를 추출하여 핵심을 요약하되 자신의 언어로 재구성하여 표현하도록 한다.

MEMO

3 논제 파악의 예

(1) 2016학년도 교육학 논술 예시

● 도해조직자(graphic organizer)

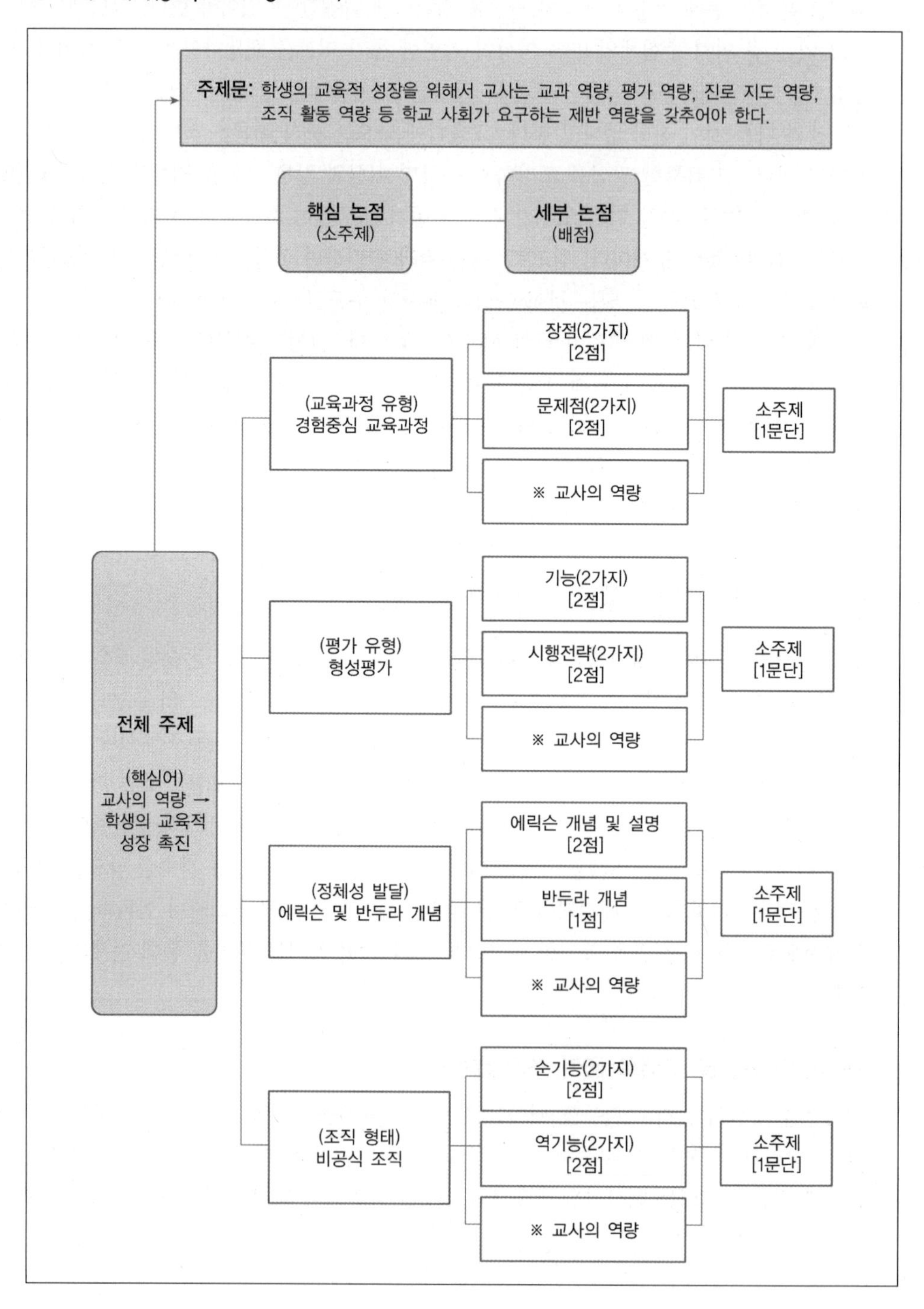

배점 분석('내용 영역')

MEMO

02

배 점

- 논술의 구성 요소 [총 15점]
  - 교육과정 유형의 장점 및 문제점 각각 2가지 [4점]
    ⇨ 경험중심 교육과정의 장점 2가지(2점) 및 문제점 2가지(2점)
  - 김 교사가 실시하려는 평가 유형의 기능과 효과적인 시행 전략 각각 2가지 [4점]
    ⇨ 형성평가의 기능 2가지(2점) 및 효과적인 시행 전략 2가지(2점)
  - 에릭슨(E. Erikson)의 정체성발달이론에 제시된 개념 1가지(2점)와 반두라(A. Bandura)의 사회인지학습이론에 제시된 개념 1가지(1점) [3점]
    ⇨ 에릭슨이 제시한 '개념' 및 '개념 설명'(2점), 반두라가 제시한 '개념'(1점)
  - '학교 내 조직 활동'에 나타난 조직 형태가 학교 조직과 구성원에 미치는 순기능 및 역기능 각각 2가지 [4점]
    ⇨ 비공식 조직의 순기능 2가지(2점) 및 역기능 2가지(2점)

MEMO

(2) 기출문제별 배점 분석의 예('내용 영역')

기출 예제

❶ 2016학년도 교육학 논술

- 교육과정 유형의 장점 및 문제점 각각 2가지 [4점]
  ⇨ 경험중심 교육과정의 장점 및 문제점 각각 2가지 충실히 설명(각 1가지당 1점씩)
- 김 교사가 실시하려는 평가 유형의 기능과 효과적인 시행 전략 각각 2가지 [4점]
  ⇨ 형성평가의 기능 및 효과적인 시행 전략 각각 2가지 충실히 설명(각 1가지당 1점씩)
- 에릭슨(E. Erikson)의 정체성발달이론에 제시된 개념 1가지(2점)와 반두라(A. Bandura)의 사회인지학습이론에 제시된 개념 1가지(1점) [3점]
  ⇨ 에릭슨이 제시한 '개념' 및 '개념 설명'(각 1점씩 2점), 반두라가 제시한 '개념'(1점)
- '학교 내 조직 활동'에 나타난 조직 형태가 학교 조직과 구성원에 미치는 순기능 및 역기능 각각 2가지 [4점]
  ⇨ 비공식적 조직의 순기능 및 역기능 각각 2가지 충실히 설명(각 1가지당 1점씩)

❷ 2015학년도 교육학 논술

- 자유교육 관점에서의 교육 목적 논술 [4점]
  ⇨ 자유교육 개념(근원은 고대 교육의 7자유학과), 내재적 목적 추구(본질적 가치 추구), 지식의 형식 추구・합리성의 발달・자율성의 신장 → (3개 충실히 설명하면 4점, 2개 설명하면 3점, 1개 설명하면 2점, 1개 나열하면 1점)
- 교육과정 설계 방식의 특징 3가지 설명 [4점]
  ⇨ 백워드 교육과정 설명(1점), 그 특징 3가지 설명(각 1점씩, 총 3점)
  [※ 당시 수험생 점수가 너무 낮아 Tyler 모형 1점 부여, 백워드 교육과정 언급만 해도 2점 부여]
- 학습동기 향상을 위한 학습 과제 제시 방안 3가지 설명 [4점]
  ⇨ 켈러(Keller)의 ARCS 모형에서, ARC 3가지 내용 나열 + 1개라도 부연설명 → (4점), 3가지 내용만 나열 또는 2가지 내용 나열 + 1개라도 부연설명 → (3점), 2가지 내용만 나열 또는 1가지 내용 나열 + 1개라도 부연설명 → (2점), 1가지 내용만 나열 3 → (1점)
  [※ 켈러(Keller)의 ARCS 모형 언급만 해도 1점 부여]
- 학습조직의 구축 원리 3가지 설명 [4점]
  ⇨ Peter Senge의 학습조직의 내용 5개(개인적 숙련, 정신모형, 공유비전, 팀 학습, 시스템 사고) 중 3개를 잘 설명하면 4점, 2개를 설명하면 3점, 1개를 설명하면 2점, 1개 제시했으나 잘 설명하지 못하면 1점

MEMO

02

02 주제문 작성

1 주제문 작성의 의의

(1) 주제문의 개념

주제란 한 편의 완성된 논술문에서 자신이 주장하고자 하는 중심 생각을 말한다. 전체 논술문에서 '무엇을 주장하고자 하는가?'라는 물음에 대한 대답이 주제인 것이다.

(2) 주제문의 중요성

주제는 한 편의 글에 통일성을 갖게 하는 요소이다. 한 편의 완성된 글을 쓰는 과정에서 시종일관 염두에 두어야 할 요소가 주제이다. 항상 주제를 중심으로 논의하고, 오직 주제만을 다루며, 늘 주제에서 벗어나지 않도록 주의해야 한다. 주제가 없거나 주제가 불분명한 글은 주장하고자 하는 핵심 내용이 없거나 무엇을 주장하고자 하는지 알 수 없게 된다.

2 주제문 작성 방법

(1) 범위 확정

주제의 범위를 확정한다. 주제의 범위가 제한되어 있지 않은 논제는 논점이 매우 포괄적이고 막연해서 주제를 일정한 범위로 확정하는 일이 특히 중요하다. 예를 들어, '학교 교육의 방향에 대하여 논하라.'와 같은 식의 논제는 주제문을 작성하기가 쉽지 않다. 이럴 경우는 각자 '학교 교육'의 어떤 측면을 논점으로 상정할 것인가에 따라 '학교 교육은 인간중심교육을 실현하여야 한다.', '학교 교육은 도덕성 회복에 초점을 맞추어야 한다.', '학교 교육은 학생의 미래사회 대비 역량을 신장해 주어야 한다.' 등과 같이 주제를 일정한 범위로 한정하여야 한다.

그러나 논제에서 이미 주제의 범위를 일정하게 제한해 놓은 경우가 있다. 몇 개의 논점을 중심으로 논하라는 문제가 그것인데, 교육학 논술이나 교직 논술과 같은 임용 논술이 그 대표적인 예이다. 이 경우에는 주제문을 작성하는 일이 어렵지 않다. 그 논점의 범위에서 자신의 중심 생각을 이끌어 내면 되기 때문이다. 주어진 몇 개의 논점을 포섭할 수 있는 중심 생각이나 상위 명제를 찾으면 된다. 상위 명제는 그 논점들 중에 있을 수도 있고, 별도로 만들어야 하는 경우도 있다. 예를 들어, 2015학년도 교육학 논술의 경우, 주요 논점이 '자유교육', '교육과정 설계 방식', '학습동기 향상', '학습조직의 구축'이므로 이미 주제의 범위가 한정되어 있다. 이 4가지를 모두 포섭하는 중심 생각이나 상위 명제를 찾아 주제로 삼으면 된다. 제시문을 분석해 보면 이 4가지 논점은 결국 '자유교육'이라는 첫째 논점을 위한 것임을 알 수 있을 것이다. 따라서 '교육개념에 충실한 지식교육으로 자유교육의 이상을 실현하여야 한다.'를 주제로 상정할 수 있다.

MEMO

한편, 논제에서 이미 주제를 특정해 놓은 경우도 있다. 2015학년도 교육학 논술(상반기), 2016학년도 교육학 논술이 그렇다. 주제문을 작성하기 가장 쉬운 유형이다. 예를 들어, 2016학년도 교육학 논술의 경우, 주요 논점이 '교육과정 유형', '평가 유형', '진로 지도와 관련된 교육학 개념', '비공식 조직 형태'인데, 이들을 '교사의 역량'이라는 주제로 논하라는 것이다. 따라서 '교사는 교과 역량, 평가 역량, 진로 지도 역량, 조직 활동 역량 등 제반 역량을 갖추어야 한다.'를 주제로 상정하면 된다. 또는 '학생의 교육적 성장을 위해서는 교사는 여러 면에서 전문적인 역량을 갖추어야 한다.'를 주제로 상정해도 좋다.

(2) 입장 정리

입장 정리란 논제에 대하여 자신이 어떠한 입장을 견지하는지를 정하는 것이다. 자신의 입장은 앞에서 주제의 범위를 확정할 때 이미 정리될 것이다. 그래서 주제의 범위 안에서 자신의 입장을 서술하면 그것이 바로 주제문이 되는 것이다. 다만, 여기서 한 걸음 더 나아가 주장하고자 하는 바의 '목적'이 무엇인지 밝혀 두는 것도 좋다. 어떤 목적으로 그러한 주장을 하고자 하는지 주제문에 밝혀 두면 서론과 결론이 일관성과 통일성을 갖추며 아주 매끄럽게 연결된다. 수미상관은 이를 두고 하는 말이다. 논술문의 처음과 끝을 안정되게 만들어 자신의 주장과 그 의미를 강조하는 효과가 있다. 예를 들어, 2016학년도 교육학 논술의 경우, 교사가 여러 면에서 역량을 갖추어야 하는 목적 내지 이유는 학생의 교육적 성장을 위해서이다. 따라서 '학생의 교육적 성장을 위해서는 교사는 교과 역량, 평가 역량, 진로 지도 역량, 조직 활동 역량 등 제반 역량을 갖추어야 한다.'라는 식의 주제문을 상정할 수 있다.

예시

주제문 예시

학생의 교육적 성장을 위해서는 교사는 교과 역량, 평가 역량, 진로 지도 역량, 조직 활동 역량 등 학교 사회가 요구하는 제반 역량을 갖추어야 한다. 16 교육학 논술

MEMO

02

03 개요 작성

1 개요 작성의 의의

개요(outline)는 논술문 전체의 뼈대이자 설계도이다. 개요 작성이란 글의 핵심을 간추려서 글의 뼈대를 세우는 것을 말하며, 글의 핵심 내용을 한눈에 볼 수 있도록 구조화하는 일이다. 따라서 개요를 작성할 때에는 글의 핵심 내용을 짜임새 있게 조직하고 구조화하는 일이 중요하다. 핵심 내용을 체계적으로 조직해야 짜임새 있게 글로 옮길 수 있게 된다.

2 개요 작성의 중요성

(1) 논술의 순서와 방향을 잡을 수 있다.

개요는 무엇을, 어떻게, 어떤 순서로 쓸 것인지 명확하게 한다. 개요를 작성할 때 글의 짜임, 중심 문장과 뒷받침 문장, 서술 방법, 전개 방법 등을 생각하게 되므로, 이를 바탕으로 실제 글로 옮기면 자신이 생각한 일정한 순서와 방향대로 쓸 수 있게 된다. 한 편의 질서를 갖춘 짜임새 있는 글이 되는 것이다.

(2) 논술 내용의 균형과 조화를 꾀할 수 있다.

개요를 작성하면 각 논점별 분량과 내용을 안배하게 되므로 논술문 전체의 균형과 조화를 꾀할 수 있다. 특정 논점을 지나치게 장황하게 논의한다든지, 각 논점별 분량을 조화롭게 조절하지 못한 글은 개요 작성을 제대로 하지 않았기 때문이다.

(3) 논술의 누락과 중복을 방지할 수 있다.

개요를 짜지 않고 글을 쓰다 보면 생각했던 내용을 자기도 모르게 빠뜨리거나 동일한 내용을 다시 쓰는 경우가 많다. 아무래도 제한된 시간 내에 글을 써야 하는 중압감 때문에 여러 가지 실수가 나올 수밖에 없다. 개요 작성은 바로 이러한 실수를 사전에 방지해 준다. 누락과 중복을 예방하고 논술문에 꼭 필요한 내용을 체계적으로 담으려면 개요 작성은 필수적이다.

3 개요 작성 방법

(1) 화제 개요

화제 개요는 각 논점별로 핵심 키워드만 사용하여 아주 간결하게 표현한 개요이다. 핵심 키워드만 있기 때문에 전체를 일목요연하게 개괄할 수 있는 장점이 있지만, 세부적인 내용을 알 수 없다는 단점도 있다. 문장력 및 표현력이 부족하거나, 머릿속에 내용을 체계화하지 않은 사람들에게는 권장할 만하지 못하다.

MEMO

예시

서론

오늘날 학교의 교사 역량 강조

본론

1. 경험중심 교육과정

① 장점 : 학생의 자발적 활동 촉진, 실제적 문제해결능력 증진

② 단점 : 학생의 기초학력 저하, 교육과정 운영의 효율성 저하

2. 형성평가

① 기능 : 교수학습 방법 개선, 학습곤란 발견 · 교정

② 시행전략 : 목표지향평가 활용, 피드백 제공

3. 에릭슨 및 반두라 이론의 개념

① 에릭슨 : 심리적 유예기(사회적 책임으로부터 유예, 자기 찾아 노력)

② 반두라 : 모델링(관찰학습)

4. 비공식 조직 활동

① 순기능 : 학교 조직의 허용적 분위기와 개방적 풍토 조성, 직무의 능률적 수행에 기여

② 역기능 : 공식 조직의 기능 방해, 구성원 간의 갈등과 소외 초래

결론

교사는 학교 사회가 요구하는 제반 역량 갖추기

16 교육학 논술

MEMO

02

(2) 문장 개요

문장 개요는 각 논점별 핵심 키워드를 구체적인 문장으로 표현한 개요이다. 핵심 내용을 문장으로 서술하여 내용 자체를 분명하게 알 수 있는 장점이 있지만, 작성하는 데 시간이 많이 소요되는 단점이 있다. 답안 작성 시간까지 고려할 때 필기 속도가 느린 사람에게는 권장할 만하지 못하다.

예시

서론

오늘날 학교는 사회의 다양한 요구에 따라 교사의 역량을 무엇보다 강조하고 있다.

본론

1. **경험중심 교육과정**: 학생의 경험을 중심으로 교육과정을 구성하는 것을 의미한다.
   ① 장점: 학생의 흥미와 필요에 바탕을 두기 때문에 학생의 자발적 활동을 촉진한다. 실제 생활 문제를 다루므로 실제적 문제해결능력을 증진한다.
   ② 단점: 학생의 흥미와 필요가 중심이 되므로 학생의 기초학력이 저하된다. 모든 수업을 직접 경험에 근거하여 운영하면 교육과정 운영의 효율성이 저하된다.
2. **형성평가**: 교수·학습이 진행되는 중간에 실시하는 평가를 의미한다.
   ① 기능: 학생의 학습 진전 상황을 파악하여 교수학습 방법을 개선한다. 학생의 학습 성공과 실패 등을 확인할 수 있어 학생의 학습곤란을 발견·교정해 준다.
   ② 시행전략: 목표지향평가를 활용한다(수업목표에 기초한 평가 문항을 제작한다), 피드백을 제공한다(피드백과 교정을 통해 학생의 누적적 학습 곤란을 해소하고 학습활동을 강화한다).
3. **에릭슨 및 반두라 이론의 개념**
   ① 에릭슨: 심리적 유예기 – 사회적 책임으로부터 유예된다는 것. 자기를 찾아 끊임없이 노력하는 기간을 의미한다.
   ② 반두라: 모델링(관찰학습) – 생활 속에서 모델의 행동을 관찰하고 모방하는 것으로도 학습된다는 이론이다.
4. **비공식 조직 활동**: 현실의 인간관계를 중심으로 비합리적·감정적 측면에서 이루어지는 자연발생적 조직이다.
   ① 순기능: 공식 조직의 불충분한 의사전달을 원활화하여 학교 조직의 허용적 분위기와 개방적 풍토 조성에 기여한다. 구성원 간의 협조와 지식 및 경험의 공유가 자유로워 직무의 능률적 수행에 기여한다.
   ② 역기능: 공식 조직과 적대 감정을 유발할 경우 공식 조직의 기능이 방해된다. 비공식 조직 간에 파벌이 조성될 경우 구성원 간의 갈등과 소외를 초래한다.

결론

교사는 학교 사회가 요구하는 제반 역량을 꼭 갖추어야 한다.

16 교육학 논술

MEMO

(3) 바람직한 개요 작성 요령

개요 작성에는 일정한 원칙이 없다. 사람마다 스타일이 다르듯이 각자 자기에게 적합한 유형을 선택하면 된다. 그러나 제한된 시간에 글을 써야 하는 수험 논술의 특성을 고려하면 절충식 방법이 가장 좋은 방안이 아닐까 한다. 득점과 직결되는 핵심 논점들은 핵심 키워드와 함께 구체적인 내용이나 논거도 함께 써 놓는 것이다. 완전한 문장일 것까지는 없으며 어느 정도의 서술성을 띠도록 해 놓으면 된다. 반면, 득점과 직결되지는 않는 내용은 핵심 키워드만 명시해 놓는다. 이렇게 하면 어느 정도 표현력과 문장력을 담보할 수 있고, 또 시간 제약에 따른 글쓰기의 압박으로부터도 어느 정도 자유로울 수 있다.

예시

서론

오늘날 학교 → 사회의 다양한 요구 → 교사의 역량을 강조

본론

1. **경험중심 교육과정**: 학생의 경험을 중심으로 교육과정을 구성
   ① 장점: 학생의 흥미와 필요에 바탕 → 학생의 자발적 활동 촉진, 실제 생활 문제 → 실제적 문제해결능력 증진
   ② 단점: 학생의 흥미와 필요가 중심 → 학생의 기초학력 저하, 모든 수업을 직접 경험에 근거하여 운영 → 교육과정 운영의 효율성 저하
2. **형성평가**: 교수·학습이 진행되는 중간에 실시하는 평가
   ① 기능: 학생의 학습 진전 상황을 파악 → 교수학습 방법을 개선, 학생의 학습 성공과 실패 등을 확인 가능 → 학생의 학습곤란을 발견·교정
   ② 시행전략: 목표지향평가 활용(수업목표에 기초한 평가 문항 제작), 피드백 제공(피드백과 교정 → 학생의 누적적 학습 곤란을 해소하고 학습활동을 강화)
3. **에릭슨 및 반두라 이론의 개념**
   ① 에릭슨: 심리적 유예기 – 사회적 책임으로부터 유예된다는 것. 자기를 찾아 끊임없이 노력하는 기간
   ② 반두라: 모델링(관찰학습) – 생활 속에서 모델의 행동을 관찰하고 모방하는 것으로도 학습된다는 이론
4. **비공식 조직 활동**: 현실의 인간관계를 중심 → 비합리적·감정적 측면에서 이루어지는 자연발생적 조직
   ① 순기능: 공식 조직의 불충분한 의사전달을 원활화 → 학교 조직의 허용적 분위기와 개방적 풍토 조성, 구성원 간의 협조와 지식 및 경험의 공유가 자유로움 → 직무의 능률적 수행에 기여
   ② 역기능: 공식 조직과 적대 감정을 유발 → 공식 조직의 기능이 방해, 비공식 조직 간에 파벌이 조성 → 구성원 간의 갈등과 소외 초래

결론

교사는 학교 사회가 요구하는 제반 역량을 꼭 갖추어야 한다.

16 교육학 논술

MEMO

02

(4) 개요 작성의 순서와 초안지 활용법

① 2단계 개요 작성

> ㉠ 개요 작성 순서: 본론 → 결론 → 서론
> ㉡ 1차 개요 작성: '목차' 구성(핵심 논점 및 세부 논점)
> ㉢ 2차 개요 작성: 세부 논점별 '중심 내용 + 설명/논증'

개요 작성은 '본론 → 결론 → 서론' 순서로 진행한다. 본론이 득점과 직결되는 가장 중요한 사항일 뿐만 아니라 본론의 내용들을 다 추출하고 나면 결론과 서론은 저절로 따라 나오기 때문이다. 즉, 본론의 내용을 정리하면 결론과 서론은 크게 힘들이지 않고 바로 쓸 수 있기 때문이다.

개요 작성은 논제 파악 단계에서부터 시작하는 것이 좋다. 제시문을 읽으면서 주요 핵심 논점을 확정할 때부터 개요 작성을 시작하여 논제 분석이 끝나면 보다 정교하게 개요를 작성하는 것이다. 즉, 개요 작성은 1차 개요 작성, 2차 개요 작성의 2단계를 거친다.

첫째, 1차 개요 작성은 제시문을 읽으며 논제를 분석할 때부터 시작한다(화제 개요 형식). 제시문을 읽으며 주요 '핵심 논점(소주제)'과 '세부 논점'이 확정되면 그때마다 배점별로 그 목차를 간단히 적는다. 또, 핵심 논점(소주제)의 중심 내용(개념・이론의 핵심 키워드)도 간결하게 적어 둔다.

둘째, 논제 분석이 모두 끝나면 2차 개요 작성을 한다. 2차 개요 작성은 '세부 논점(배점)'을 분석하여 적는다. 핵심 논점(소주제)별로 '세부 논점'의 내용을 적는 것이 2차 개요 작성이다. 그야말로 본격적인 개요 작성인 것이다. 세부 논점별로 중심 내용과 설명/논증의 구체적인 내용을 적는다. 2차 개요 작성은 매우 구체적이며 정교하게 작성한다. 그리하여 '핵심 논점(소주제)-세부 논점(배점)-중심 내용 및 설명/논증'으로 이어지는 개요 작성을 완결한다.

2단계 개요 작성을 위해서는 초안지를 가로로 3등분(서론-본론-결론), 세로로 3등분한다. 세로의 3등분에서 1등분은 1차 개요 작성 공간('핵심 논점 및 세부 논점의 목차'), 2등분은 2차 개요 작성 공간('세부 논점별 중심 내용'), 3등분은 2차 개요 작성 공간(세부 논점의 중심 내용별로 '설명/논증')으로 활용하면 좋다.

MEMO

개요 작성 예시

1차 개요		2차 개요	
핵심 논점	세부 논점	세부 논점별 중심 내용	설명/논증/ 제시문 분석 · 적용
[서론]			
[본론] 1. (교육과정 유형) 경험중심 교육과정 2. 3. 4.	① 개념 : ② 장점 : ③ 문제점 : ④ 교사 역할 :	세부 논점별로 '중심 내용(핵심 내용)'만 간단히 적는다.	각 중심 내용에 대한 '설명/논증' 및 '제시문 분석 · 적용'을 구체적으로 적는다.
[결론]			

MEMO

02

② 논제 파악 및 답안 구상의 예 16 교육학 논술

● 도해조직자(graphic organizer)

주제문: 학생의 교육적 성장을 위해서 교사는 교과 역량, 평가 역량, 진로 지도 역량, 조직 활동 역량 등 학교 사회가 요구하는 제반 역량을 갖추어야 한다.

핵심 논점 (소주제) — **세부 논점** (배점)

전체 주제

(핵심어)
교사의 역량 → 학생의 교육적 성장 촉진

핵심 논점	세부 논점	
(교육과정 유형) 경험중심 교육과정	장점(2가지) [2점]	소주제 [1문단]
	문제점(2가지) [2점]	
	※ 교사의 역량	
(평가 유형) 형성평가	기능(2가지) [2점]	소주제 [1문단]
	시행전략(2가지) [2점]	
	※ 교사의 역량	
(정체성 발달) 에릭슨 및 반두라 개념	에릭슨 개념 및 설명 [2점]	소주제 [1문단]
	반두라 개념 [1점]	
	※ 교사의 역량	
(조직 형태) 비공식 조직	순기능(2가지) [2점]	소주제 [1문단]
	역기능(2가지) [2점]	
	※ 교사의 역량	

MEMO

답안 구상

주제문 학생의 교육적 성장을 위해서 교사는 교과 역량, 평가 역량, 진로 지도 역량, 조직 활동 역량 등 학교 사회가 요구하는 제반 역량을 갖추어야 한다.

전체 주제 (대주제)	핵심 논점 (소주제)	세부 논점 (배점)	중심 내용 + 설명/논증/(제시문 분석 · 적용)		배점	출제 영역
교사의 역량 → 학생의 교육적 성장 촉진	(교육과정 유형) 경험중심 교육과정	① 경험중심 교육과정	학생의 경험을 중심으로 교육과정을 구성, 학생의 흥미와 요구를 토대로 운영하는 교육과정	세시문 추론	4점	교육 과정
		② 장점 2가지 [2점]	㉠ 학생의 자발적인 활동을 촉진 ㉡ 실제적인 문제해결능력을 증진	㉠ 수업 내용과 활동이 학생의 흥미와 필요에 바탕을 두기 때문 ㉡ 실제 생활의 문제를 다룸		
		③ 문제점 2가지 [2점]	㉠ 학생들의 기초학력이 저하 ㉡ 교육과정 운영의 효율성이 저하	㉠ 학생의 흥미와 필요가 중심이 되므로 ㉡ 직접 경험에 근거하여 수업을 운영할 경우 시간이 오래 걸림		
		※ 교사의 역량	교사는 현행 교육과정이 요구하는 성취기준 달성에 효과적인 교육과정 유형을 선택하고, 최적의 수업 방안을 마련할 수 있는 교과 역량을 갖추고 있어야 한다.			
	(평가 유형) 형성평가	① 형성평가	교수·학습이 진행되는 중간에 실시하는 평가	제시문 추론	4점	교육 평가
		② 기능 2가지 [2점]	㉠ 교사의 교수·학습 방법을 개선 ㉡ 학생의 학습곤란 지점을 발견·교정	㉠ 학생의 학습 진전 상황을 파악 가능 ㉡ 학생의 학습 성공과 실패 등을 확인 가능		
		③ 시행전략 2가지 [2점]	㉠ 목표지향평가를 실시 ㉡ 적절한 피드백을 제공	㉠ 학생에게 평가 부담을 줄여주면서 동시에 목표달성 정도나 학습결손 지점을 정확하게 확인할 수 있게 함 ㉡ 피드백을 제공하면서 교정해 주면 학생의 누적적 학습곤란을 해소하고 학습활동을 강화 가능		
		※ 교사의 역량	교사는 여러 가지 평가 유형이 지닌 기능 및 시행전략을 파악하고, 상황과 목적에 맞게 평가를 시행할 수 있는 평가 역량을 갖추고 있어야 한다.			

<table>
<tr><td rowspan="3">(정체성 발달)
에릭슨 및
반두라 개념</td><td>① 개념 및
설명
[2점]</td><td>심리적 유예기
※ 자아정체감 대
역할 혼미</td><td>㉠ 사회적 책임으로부터 유예된다는 것으로 자신을 찾아 끊임없이 노력하는 기간
㉡ 제시문 분석 · 적용</td><td rowspan="3">3점</td><td rowspan="3">교육
심리학</td></tr>
<tr><td>② 개념
[1점]</td><td>모델링(modeling)
또는 관찰학습</td><td>㉠ 생활 속에서 모델의 행동을 관찰하고 모방하는 것으로도 학습
㉡ 제시문 분석 · 적용</td></tr>
<tr><td>※ 교사의
역량</td><td colspan="2">교사는 심리적 유예기에 직면한 학생들에게 다양한 탐색 기회를 제공하고, 대안적 가능성을 충분히 탐색하게 한 후 자아정체감을 성공적으로 성취해 낼 수 있도록 진로 지도 역량을 구비하고 있어야 한다.</td></tr>
<tr><td rowspan="4">(조직 형태)
비공식 조직</td><td>① 비공식
조직</td><td>현실의 인간관계를 중심으로 비합리적 · 감정적 측면에서 이루어지는 자연발생적 조직</td><td>제시문: 소집단 형태, 자발적 모임</td><td rowspan="4">4점</td><td rowspan="4">교육
행정학</td></tr>
<tr><td>② 순기능
2가지
[2점]</td><td>㉠ 학교 조직의 허용적 분위기와 개방적 풍토 조성에 기여
㉡ 직무의 능률적 수행에 기여</td><td>㉠ 공식 조직의 불충분한 의사전달을 원활화하기 때문에
㉡ 구성원 간의 협조와 지식 및 경험의 공유가 자유로움</td></tr>
<tr><td>③ 역기능
2가지
[2점]</td><td>㉠ 공식 조직의 기능이 방해
㉡ 구성원 간의 갈등과 소외가 초래</td><td>㉠ 공식 조직과 적대 감정을 유발할 경우
㉡ 비공식 조직 간에 파벌이 조성될 경우</td></tr>
<tr><td>※ 교사의
역량</td><td colspan="2">교사는 학교 내 비공식 조직의 순기능과 역기능을 고려하면서, 학교 조직 전체의 조화와 효율성을 극대화할 수 있는 조직 활동 역량을 갖추어야 한다.</td></tr>
</table>

MEMO

02

MEMO

04 서론 쓰기

1 서론 쓰기의 방법

① 주의 환기: 도입 문장 + 뒷받침 문장(상술, 이유, 예시)
② 문제 제기: 논제의 주요 논점 변형

서론은 글의 첫머리로서 글 전체의 논리를 도입하는 부분이다. 서론에서는 무엇을 쓰며, 왜 쓰며, 어떻게 쓸 것인가를 포괄적으로 제시한다. 글을 쓰는 동기나 목적, 자신의 입장, 다루고자 하는 과제 등을 미리 알려주는 것이다.

서론은 주의 환기와 문제 제기로 서술한다. 주의 환기란 독자의 주의(관심)를 불러일으키는 것을 말하며, 문제 제기란 본론의 과제를 명백히 밝히는 것을 말한다. 주의 환기를 통해 자기 글에 독자의 관심을 불러일으켰으면, 문제 제기를 통해 본론의 논점과 문제가 무엇인지 명백히 밝혀 줌으로써 글의 논지를 보다 분명하게 하는 것이다. 문제 제기는 형식적 문제 제기가 아니라 실질적 문제 제기가 바람직하다. 예를 들어, 특정한 알맹이도 없이 그저 '이하에서는 ~을 알아보고자 한다.'라는 식의 상투적인 표현보다는 실질적인 의미가 담긴 문제 제기가 좋다.

2 서론 쓰기의 만능틀

(1) 시사 이슈형 서론 쓰기

① 주의 환기: 도입 문장('시사 이슈' 도입) + 뒷받침 문장(상술, 이유, 예시)
② 문제 제기: 논제의 주요 논점 변형

시사 이슈형 서론은 문제 상황과 관련된 '시사 이슈'를 첫 문장에 도입하면서 시작하는 방법이다. 즉, 시사 이슈를 기점으로 도입 문장을 서술해 나가는 방식이다. 시사 이슈는 사회이슈나 교육이슈 등 문제 상황과 관련된 것이어야 한다. 이 방법으로 서론을 시작하면 최근 이슈에 대한 독자의 관심을 불러일으킬 수 있어 신선함을 줄 수 있다는 장점이 있다. 다만, 시사 이슈 활용이 필요한 논술 주제라야 하며, 또 학술적 격식으로는 좀 떨어지는 면이 있다.

MEMO

02

① 주의 환기 – 도입 문장('시사 이슈') + 뒷받침 문장

㉠ 도입 문장 – 시사 이슈 도입

도입 문장에 '시사 이슈'를 끌어와 쓴다. 도입 문장은 한 문장으로 충분하다.

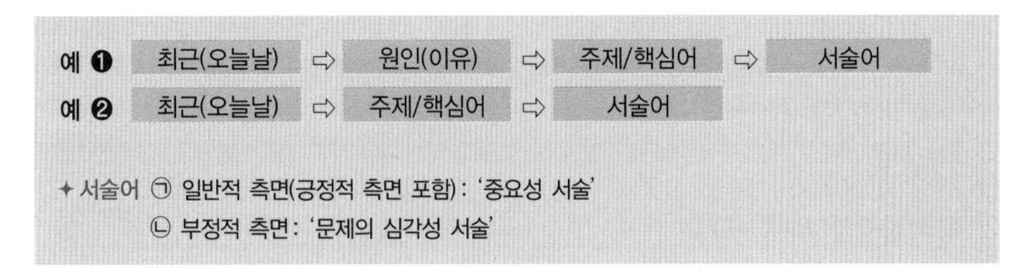

예 ❶ 최근(오늘날) ⇨ 원인(이유) ⇨ 주제/핵심어 ⇨ 서술어

예 ❷ 최근(오늘날) ⇨ 주제/핵심어 ⇨ 서술어

✦ 서술어 ㉠ 일반적 측면(긍정적 측면 포함): '중요성 서술'
㉡ 부정적 측면: '문제의 심각성 서술'

예 • 최근(오늘날) / (주어/교육현장) ~~[원인(이유)] ~~(함)에 따라(~로 인해, ~하고 있어) / ~~[주제/핵심어](–이/–가, –을/–를) 중요(강조, 요구, 요청, 필요, 중시, 주목, 각광, 대두, 부각 등)하고(되고) 있다[일반적 측면의 서술어: '중요성' 서술].

✦ 부정적 측면의 서술어 문제의 '심각성' 서술 ⇨ ~이 심각한 문제로 대두(제기, 부각, 부상 등)되고 있다(~충격을 주고 있다. ~어제 오늘의 일이 아니다. ~이 어느 때보다 심각하다).

㉡ 뒷받침 문장 – 도입 문장의 구체화

도입 문장을 구체적으로 풀어준다(상술, 이유, 예시). 뒷받침 문장은 도입 문장과 문제 제기 문장을 자연스럽게 연결시켜 줌으로써 논리적 비약을 방지해 준다. 뒷받침 문장은 문제 제기를 생각하면서 도입 문장을 논제의 주요 논점과 관련하여 구체적으로 풀어주는 식으로 쓴다.

② 문제 제기 – 논제의 주요 논점 변형

문제 제기는 문제에 제시된 주요 논점의 핵심들을 잘 간추린 후 그것에 자신의 생각을 넣고 약간 변형하여 쓰면 된다. 본론의 논점을 미리 알 수 있게 문제 제기를 하면 된다.

예시

시사 이슈형 서론 예시

❶ 2016학년도 유치원 교직 논술

최근 유치원 교육 현장에서는 교육과정의 탄력적 운영을 강조하고 있다. 교사는 교육과정의 탄력적 운영의 필요성을 이해하고 교육과정을 변경할 수 있어야 한다. 제시문의 대화를 토대로 교육과정의 탄력적 운영의 필요성, 교육과정의 탄력적 운영 시 고려한 사항과 의의, 교직의 전문직 관점에서 교사에게 요구되는 특성을 논하고자 한다. (177자/1,200자)

❷ 2016학년도 중등 교육학 논술

오늘날 학교는 사회의 다양한 요구에 따라 교사의 역량을 무엇보다 강조하고 있다. 교사는 교과 역량과 생활지도 역량 및 조직 활동 역량 등 학교 사회가 요구하는 제반 역량을 갖추고 있어야 한다. 제시문의 자기계발계획서를 토대로 경험중심 교육과정, 형성평가의 제 측면, 학생의 정체성 발달을 위한 교사 역량, 학교 내 비공식 조직 활동의 기능 등을 검토하면서 '예비교사의 입장에서 교사가 갖추어야 할 역량'을 논의하고자 한다.

MEMO

❸ 2015학년도 중등 교육학 논술(상반기)
최근 우리 사회가 학교의 다양한 역할 수행을 요구함에 따라 학교교육에서의 교사의 과제가 부각되고 있다. 교사는 학교교육의 기능과 학교 조직의 특징을 파악해야 하며, 구체적인 수업 설계와 학생 평가를 바탕으로 수업을 효과적으로 운영할 수 있어야 한다. 제시문의 학교장 특강 내용을 토대로 학교교육의 선발·배치 기능과 한계, 학교 조직의 관료제 및 이완결합체제의 특징, ADDIE 수업설계와 준거지향평가를 검토하면서 '다양한 요구에 직면한 학교교육에서의 교사의 과제'를 논하고자 한다.

(2) 목적제시형 서론 쓰기

① 주의 환기: 도입 문장('목적제시' 도입) + 뒷받침 문장(상술, 이유, 예시)
② 문제 제기: 논제의 주요 논점 변형

목적제시형 서론은 문제 상황과 관련된 '목적'을 첫 문장에 제시하면서 시작하는 방법이다. 즉, 목적을 도입 문장의 중심으로 삼아 주제를 펼치는 서술 방식이다. 목적은 문제 상황과 관련한 전체 주제(자신의 주장)가 지향하는 목적이나 글을 쓴 목적을 의미한다. 이 방법으로 서론을 시작하면 학술적 성격의 논술을 쓸 수 있다는 장점이 있다. 다만 시사 이슈에서 거리가 멀기 때문에 신선함은 다소 부족하다.

① 주의 환기 – 도입 문장('목적제시') + 뒷받침 문장

㉠ 도입 문장 – 목적제시 도입

도입 문장에 전체 주제와 관련된 '목적'을 끌어와 쓰는데, 이는 한 문장으로 족하다.

예 ❶	주체(생략 可)	⇨	목적	⇨	주제/핵심어	⇨	서술어(사실·가치 명제)
예 ❷	주체(생략 可)	⇨	목적	⇨	주제/핵심어	⇨	서술어(정책 명제)

✦ 서술어
도입 문장의 서술어가 사실·가치 명제 → 뒷받침 문장의 서술어는 모든 명제로 표현 가능
예 도입 문장: ~이 중요하다. → 뒷받침 문장: ~해야 한다/~하는(되는) 것이다.
도입 문장의 서술어가 정책 명제 → 뒷받침 문장의 서술어는 사실·정책 명제로 표현
예 도입 문장: ~해야 한다. → 뒷받침 문장: ~하는(되는) 것이다/~한 것이다.

예 • 교사(학생, 학교 등)가 / ~[목적]~하기 위해서는(하려면) / ~[주제/핵심어] (-이/-가, -을/-를) 중요(강조, 요구, 요청, 필요, 중시, 주목, 각광, 대두, 부각 등)하고(되고) 있다(~해야 한다).

MEMO

02

ⓛ 뒷받침 문장 – 도입 문장의 구체화

도입 문장을 구체적으로 풀어준다(상술, 이유, 예시). 뒷받침 문장은 도입 문장과 문제 제기 문장을 자연스럽게 연결시켜 줌으로써 논리적 비약을 방지해 준다. 뒷받침 문장은 문제 제기를 생각하면서 논제의 주요 논점과 관련하여 도입 문장을 구체적으로 풀어주는 식으로 쓴다. 시사 이슈형 서론 쓰기와 내용이 동일하다.

② 문제 제기 – 문제의 주요 논점 변형

문제 제기는 문제에 제시된 주요 논점의 핵심들을 잘 간추린 후 그것에 자신의 생각을 넣고 약간 변형하여 쓰면 된다. 본론의 논점을 미리 알 수 있게 문제 제기를 하면 된다. 시사 이슈형 서론 쓰기와 내용이 동일하다.

예시

목적제시형 서론 예시

❶ 2016학년도 유치원 교직 논술

유아의 교육적 성장을 위해서는 교육과정의 탄력적 운영이 중요하다. 교사는 교육과정의 탄력적 운영의 필요성을 이해하고 교육과정을 변경할 수 있어야 한다. 제시문의 대화를 토대로 교육과정의 탄력적 운영의 필요성, 교육과정의 탄력적 운영 시 고려한 사항과 의의, 교직의 전문직 관점에서 교사에게 요구되는 특성을 논하고자 한다. (172자/1,200자)

❷ 2016학년도 중등 교육학 논술

학생의 교육적 성장을 촉진하기 위해서는 여러 방면에서의 교사의 역량이 무엇보다 중요하다. 교사는 교과 역량과 생활지도 역량 및 조직 활동 역량 등 학교 사회가 요구하는 제반 역량을 갖추고 있어야 한다. 제시문의 자기계발계획서를 토대로 경험중심 교육과정의 장점과 문제점, 형성평가의 제 측면, 학생의 정체성 발달을 위한 교사 역량, 학교 내 비공식 조직 활동의 순기능과 역기능 등을 검토하면서 '예비교사의 입장에서 교사가 갖추어야 할 역량'을 논의하고자 한다.

❸ 2015학년도 중등 교육학 논술(상반기)

학교가 사회의 다양한 요구를 충족하기 위해서는 당면 과제에 대한 교사의 이해가 우선적으로 요구된다. 교사는 학교 교육의 기능과 학교 조직의 특징을 파악해야 하며, 구체적인 수업 설계와 학생 평가를 바탕으로 수업을 효과적으로 운영할 수 있어야 한다. 제시문의 학교장 특강 내용을 토대로 학교교육의 선발·배치 기능과 한계, 학교 조직의 관료제 및 이완결합체제의 특징, ADDIE 수업설계와 준거지향평가를 검토하면서 '다양한 요구에 직면한 학교교육에서의 교사의 과제'를 논하고자 한다.

MEMO

3 서론 쓰기의 다양한 방법

(1) 용어의 개념 풀이나 정의로 시작하기

용어의 개념을 뜻풀이하면서 시작하는 방법이다. 용어가 매우 중요하고 쟁점의 핵심어일 때에 사용하는 방식이다. 그러나 아무리 중요한 용어라 할지라도 논제의 초점이나 쟁점을 가리키는 핵심어가 아닐 때에는 이 방식을 피하는 것이 좋다.

> **논제**: 지식기반사회에서의 학교교육의 방향을 논술하라.
> 지식기반사회는 지식을 창출하고 활용하는 인적 자원의 역할이 중요시되는 사회이다. 이것은 그저 지식을 전달하고 맹목적으로 암기하는 과거 교육의 행태로는 시대에 도태될 수밖에 없음을 시사한다. 이제 학교에서 학생들을 어떻게 가르치고 배우게 하며 나아가 우리 교육 전반을 어떻게 고쳐 나가야 할지에 대한 새로운 전환을 요구하고 있는 것이다.

(2) 단도직입적으로 시작하기

처음부터 자신의 주장을 단정적으로 제시하여 논지를 분명하게 드러내는 방법이다. 찬반 대립형 논술에서 반대 진영의 견해를 미리 반박하면서 시작하고자 할 때, 사회나 교육의 일반적 풍조를 단정적으로 비난하면서 시작하고자 할 때, 자신의 가치관이나 교육관 등을 단정적으로 언급하면서 시작하고자 할 때 사용하는 방식이다. 자신의 의견을 선명하게 드러내되, 감정적인 어조가 개입되지 않도록 주의해야 한다.

> **논제**: 오늘날 학교교육의 문제점과 개선방향을 논하라.
> 한마디로 오늘날 학교교육의 문제는 인간교육의 상실에 있다고 하겠다. 이것은 학교교육이 그 본래적 목표인 인간다운 인간, 즉 전인적 인간을 길러내지 못하고 있음을 의미한다. 이성과 감성을 균형 있게 갖춘 인간을 학교는 길러내지 못하고, 이성만 있고 정서 없는 인간을 길러냄으로써 교육부재라는 비난을 받고 있는 것이다.

(3) 시사 내용을 언급하며 시작하기

최근 시사 이슈를 언급하면서 시작하는 방식이다. 시사적인 사건을 활용하는 것이 필요한 논제일 때 사용한다. 시사 이슈는 최근의 사건, 충격적인 사건일수록 효과가 높다. 시사 이슈를 도입하면 글이 신선하며 참신한 면이 있다. 그러나 참신한 느낌이 없는 이슈나 너무나 잘 알고 있는 이슈는 신선함이 없어 그 효과가 반감될 수 있다.

> **논제**: 학교폭력의 원인을 밝히고 그 대처방안을 제시하시오.
> 최근 학교폭력이 상당히 심각한 수준에 이르고 있어 충격을 주고 있다. 지난해 학교폭력 피해학생 수만 해도 약 15만 명에 이르는데다가 점차 저연령화 · 조직화되고 있어 학교폭력에 대한 근본적인 대책 마련이 시급한 실정이다. 요즘 학교폭력은 단일한 요인에서만 발생하는 것이 아닌 만큼 다양한 측면에서 근본적인 요인을 찾고 교육관계자가 모두 협력하여 대처해 나가야 할 것이다.

MEMO

02

(4) 비유문 · 인용문 등으로 시작하기

비유나 인용 등을 활용하여 시작하는 방법이다. 비유나 인용은 논제에 맞게 잘 사용하면 참신하며 효과가 높다. 그러나 논제에 맞지 않는 비유나 인용, 너무 틀에 박힌 비유나 인용 등은 상투적인 느낌을 주므로 매우 좋지 않은 인상을 줄 수 있다. 비유나 인용은 잘못 사용하면 오히려 안 쓴 것만 못하니 주의를 기울여서 활용해야 한다.

> **논제**: 최근 학부모나 학생의 교사 폭행의 원인을 밝히고 그 대책을 논하라.
> 우리나라에서는 예로부터 '스승의 그림자도 밟지 않는다.'라고 하였다. 이것은 스승의 권위를 중시해야 올바른 교육이 될 수 있다는 데 근원을 두고 있다. 그런데 최근에 학부모가 교단에 침입하여 교사를 폭행하는가 하면, 심지어 학생조차도 담임을 폭행하는 사건이 빈번하고 있어 충격을 주고 있다. 교권이 실추된 교육현장에는 진정한 교육이란 있을 수 없는 만큼 근본적인 대책을 마련해야 할 것이다.

(5) 질문하면서 시작하기

처음부터 질문을 하면서 시작하는 방식이다. 서론에서 제기하는 질문은 모르는 사항에 대해 답변을 듣고자 하는 것이 아니라 자신의 논지를 강조할 목적으로 사용된다. 따라서 질문 형태도 달리할 필요가 있다. 예를 들어, '학교는 무엇을 하는 곳인가?'라는 질문보다는 '학교는 과연 희망이 없는 것일까?', '지식교육은 무엇인가?'라는 질문보다는 '올바른 지식교육이란 무엇을 의미하는 것일까?'라는 질문의 형식이 더 바람직하다.

> **논제**: 우리나라 학교교육의 현실을 진단하고, 인간교육을 위한 바람직한 방향을 논하라.
> 우리 교육, 과연 이대로 좋은가? 교실붕괴, 학교붕괴는 물론이거니와 학교폭력, 집단따돌림, 청소년 성매매 등 하루가 멀다 하고 불거져 나오는 각종 교육 병리현상들은 오늘날 우리 학교교육의 현주소를 고스란히 보여주고 있다. 인간교육이 실패한 교육현장에서는 도덕성을 갖춘 인간, 인간성을 갖춘 전인적 인간을 함양하기란 요원한 일일 수밖에 없다.

(6) 기타 여러 가지 방법의 서론 쓰기

이상의 서론 쓰기 방법 이외에도 다양한 방법이 있다. 제시문의 내용을 적절히 변형하여 시작하기, 논제의 배경을 설명하면서 시작하기, 일반적인 지식을 언급하며 시작하기, 내용을 구분하여 제시하면서 시작하기 등 여러 가지 방식이 있다. 어떤 방식으로 서론을 쓰든 서론에서 중요한 것은 서론의 역할을 충실히 하는 것이다. 적절한 화제를 도입하여 관심을 불러일으키고 본론의 논의 방향을 알려주는 '주의 환기'와 '문제 제기'의 기능을 충실히 수행하는 것이 중요하다.

MEMO

05 본론 쓰기

1 본론의 의의와 중요성

본론은 논술문의 알맹이다. 논제의 쟁점에 대해 자신의 주장과 근거를 제시하여 설득력을 높이는 부분이 본론이기 때문이다. 그만큼 논술에서는 본론이 가장 중요하며, 또 각각의 논점마다 점수가 배당되어 있어 득점과 바로 직결된다. 그래서 고득점을 받고자 한다면 무엇보다 본론에 가장 충실한 것이 최우선 과제이다.

2 본론 쓰기의 방법

2016학년도 교육학 논술

다음은 A 중학교에 재직 중인 김 교사가 작성한 자기개발계획서의 일부이다. 김 교사의 자기개발계획서를 읽고 예비 교사 입장에서 '**교사가 갖추어야 할 역량**'이라는 주제로 교육과정 및 평가 유형, 학생의 정체성발달, 조직 활동에 대한 내용을 구성 요소로 하여 서론, 본론, 결론의 형식을 갖추어 논하시오.

배 점

- 논술의 구성 요소 [총 15점]
  - '수업 구성'에 나타난 교육과정 유형의 장점 및 문제점 각각 2가지 [4점]
  - 김 교사가 실시하려는 평가 유형의 기능과 효과적인 시행 전략 각각 2가지 [4점]
  - 에릭슨(E. Erikson)의 정체성발달이론에 제시된 개념 1가지(2점)와 반두라(A. Bandura)의 사회인지학습이론에 제시된 개념 1가지(1점) [3점]
  - '학교 내 조직 활동'에 나타난 조직 형태가 학교 조직과 구성원에 미치는 순기능 및 역기능 각각 2가지 [4점]

- 논술의 구성 및 표현 [총 5점]
  - 논술의 구성 요소와 '교사가 갖추어야 할 역량'과의 연계 및 논리적 형식 [3점]
  - 표현의 적절성 [2점]

(1) 각 논점별로 문단을 구성하고, 배점에 맞춰 분량을 조절하라.

본론을 쓸 때 가장 우선하는 게 문단을 구성하는 일이다. 본론의 문단은 반드시 각각의 논점별로 구성한다. 예를 들면, 논제의 논점이 3개이면 3문단, 4개이면 4문단으로 문단을 구성한다. 논점별로 문단을 구성하는 이유는 각 논점별로 소주제가 다르기 때문이다. 한 편의 글에서 하나의 문단에는 하나의 중심 생각만 있어야 하는 것이 원칙이다. 한 문단에 2~3개의 중심 생각이 들어 있으면 글의 통일성에 위배된다.

MEMO

02

또, 각 논점과 관련 없는 내용을 써서는 안 된다. 관련 없는 내용은 군더더기에 불과할 뿐이며 이 역시 글의 통일성을 저해한다. 더구나 논점과 관련 없는 내용을 쓰게 되면 득점과 관계없이 시간만 빼앗기며, 교직 논술의 경우에는 원고지의 분량만 축낼 뿐이다.

마지막으로, 각 문단은 배점에 맞춰 분량을 조절하여야 한다. 아무래도 배점이 높으면 그만큼 논의할 양이 많아질 수밖에 없다. 풍부한 논의를 통해 주어진 점수를 모두 받도록 해야 할 것이다. 상대적으로 점수가 적은 논점은 그만큼 논의할 것이 많지 않다. 이런 논점에 대해 많은 분량을 할애하면 점수가 높은 논점은 상대적으로 논의할 시간과 공간이 줄어든다. 교육학 논술의 경우, 대체로 각 논점별 배점이 비슷하다. 그래서 각 논점별로 비슷한 분량을 유지하면 된다.

(2) 작은 논점(세부 논점)의 배점도 분명하게 파악하라.

큰 논점(핵심 논점)별 배점을 확인하기는 어렵지 않다. 논술 문제지의 배점 기준표를 보면 금방 알 수 있기 때문이다. 그러나 세부적인 작은 논점(세부 논점)별 배점은 쉽게 파악되지 않는 경우도 있다. 그럴 때에는 자신이 출제자라면 어떤 기준에 근거해서 점수를 부여할지 꼭 생각해 보아야 한다. 그러고 나서 작은 논점들의 점수를 정확하게 간파해야 한다. 이것이야말로 본론 쓰기에서 정말 중요한 부분 중의 하나이다. 득점과 바로 직결되는 부분이기 때문이다. 작은 점수가 모여 큰 점수가 되듯이 작은 논점들의 배점을 정확히 알아야 점수를 빠뜨리지 않고 논의할 수 있는 것이다.

기출 예제

배 점

- 논술의 구성 요소 [총 15점]
  - '수업 구성'에 나타난 교육과정 유형의 장점 및 문제점 각각 2가지 [4점]
  - 김 교사가 실시하려는 평가 유형의 기능과 효과적인 시행 전략 각각 2가지 [4점]
  - 에릭슨(E. Erikson)의 정체성발달이론에 제시된 개념 1가지(2점)와 반두라(A. Bandura)의 사회인지학습이론에 제시된 개념 1가지(1점) [3점]
  - '학교 내 조직 활동'에 나타난 조직 형태가 학교 조직과 구성원에 미치는 순기능 및 역기능 각각 2가지 [4점]

- 논술의 구성 및 표현 [총 5점]
  - 논술의 구성 요소와 '교사가 갖추어야 할 역량'과의 연계 및 논리적 형식 [3점]
  - 표현의 적절성 [2점]

MEMO

⇨ 앞의 배점 기준표에서 '논술의 내용' 영역만 보면, ① 첫째 논점은 경험중심 교육과정의 장점 및 문제점에서 각각 1가지씩 1점씩 배점된다. ② 둘째 논점은 형성평가의 기능과 효과적인 시행 전략에서 각각 1가지씩 1점씩 배점된다. ③ 셋째 논점에서 에릭슨이 제시한 개념은 '개념' 및 '개념 설명'이 각각 1점씩 하여 총 2점이 배점되며, 반두라가 제시한 개념은 '개념'만 서술해도 1점을 받을 수 있다. ④ 넷째 논점은 비공식 조직의 순기능 및 역기능에서 각각 1가지씩 1점씩 배점된다. 이렇게 작은 논점별 배점을 정확히 간파해야 작은 점수라도 놓치지 않게 된다.

(3) 각 논점을 질문의 형태로 바꾸어라.

본론에서 각 문단의 첫 문장은 각 논점에 대한 직접적인 답변으로 시작하면 좋다. 그러자면 먼저 각 논점을 질문의 형태로 바꾸어야 한다. 그리고 그 질문에 대한 답변을 첫 문장에 써 주면 된다. 각 논점을 질문 형태로 바꿀 때에는 '지시문'과 '배점 기준표'를 모두 활용하도록 한다. '배점 기준표'만으로 질문이 명확하게 만들어지지 않는 경우도 있기 때문이다. 이렇게 각 논점을 질문 형태로 바꾸면 각 논점에 대해 자기 입장을 간단명료하게 표명할 수 있고, 득점과 바로 직결될 수 있어 훨씬 유리하다. 그렇지 않으면 애매모호한 입장으로 서술하는 경우가 많아지고 득점과 멀어질 확률도 높다.

[예제]에서, 각 논점을 질문의 형태로 바꾸면, "① '수업 구성'에 나타난 교육과정 유형은 무엇인가?, ② 김 교사가 실시하려는 평가 유형은 무엇인가?, ③ 에릭슨(E. Erikson)의 정체성발달이론에 제시된 개념과 반두라(A. Bandura)의 사회인지학습이론에 제시된 개념은 무엇인가?, ④ '학교 내 조직 활동'에 나타난 조직 형태는 무엇인가?"이다. 이에 대해 각각 답변을 하면 된다. 예를 들면 아래와 같이 ①~④의 형식으로 답변하는 글을 쓸 수 있다.

① 김 교사의 수업 구성에 나타난 교육과정 유형은 경험중심 교육과정이다. 경험중심 교육과정은 학생의 경험을 중심으로 교육과정을 구성하고, 학생의 흥미와 요구를 토대로 운영하는 교육과정을 의미한다. ……

② 김 교사가 실시하려는 평가 유형은 형성평가이다. 형성평가는 교수·학습이 진행되는 중간에 실시하는 평가를 의미한다. ……

③ 김 교사의 진로 지도 계획에 나타나 있는 에릭슨(Erikson)의 정체성발달이론에 제시된 개념은 '심리적 유예기'이다. 에릭슨(Erikson)은 청소년 시기를 자아정체감 대 역할 혼미로 규정짓고, 이때 중요한 성격적 특징으로 '심리적 유예기'를 제시하고 있다. 심리적 유예기란 사회적 책임으로부터 유예된다는 것으로 자신을 찾아 끊임없이 노력하는 기간을 의미한다. …… / 반두라(Bandura)의 사회인지학습이론에 제시된 개념은 '관찰학습'이다. 반두라(Bandura)의 사회인지학습이론에 따르면 생활 속에서 모델의 행동을 관찰하고 모방하는 것으로도 학습한다고 한다. ……

④ 김 교사가 참여하고자 하는 조직 형태는 비공식 조직이다. 비공식 조직은 현실의 인간관계를 중심으로 비합리적·감정적 측면에서 이루어지는 자연발생적 조직을 의미한다. ……

MEMO

02

⑷ 가능하면 두괄식으로 써라. 그러나 논점에 따라 미괄식이나 양괄식도 고려하라.

앞에서 각 논점을 질문 형태로 바꾸고 그 질문에 대한 답변을 각 문단의 첫 문장으로 쓰면 좋다고 하였다. 이것이 바로 두괄식 구성이다. 두괄식은 중심 생각(중심 내용, 소주제문, 주장)을 문단의 앞부분에 배치하는 것을 말한다. 두괄식 구성은 중심 생각(주장)이 앞에 나오기 때문에 글의 의미 전달이 빠르다. 수많은 답안을 채점해야 하는 채점자 입장에서는 가능하면 내용 전달이 빠른 두괄식 구성의 글을 선호하게 된다. 특히 짧은 글을 써야 하는 교직 논술의 경우에는 두괄식이 가장 좋다.

그러나 교육학 논술의 경우에는 반드시 두괄식만 고집할 필요가 없다. 글의 전개상 미괄식이나 양괄식이 훨씬 편하고 깔끔하며 논리적으로 느껴질 때도 많다. 이것은 논점에 따라 자율적으로 결정할 사항이다. 두괄식 구성을 취하지 않을 경우에는 각 문단의 첫 문장은 각 논점의 질문에 대한 답변이 아니다. 만약 미괄식 구성이라면 그 답변은 각 문단의 마지막 문장에 오게 될 것이다. 그렇다면 첫 문장은 무엇일까? 교육학 논술의 경우, 교육학 이론이나 개념이 첫 문장으로 오게 되는 경우가 대부분일 것이다. '교육학 이론 → 상술/논증 → 제시문 분석 · 적용 → 결론(답변)'의 형태로 서술하게 된다.

정리하면, 가능하면 글의 의미 전달이 빠른 두괄식 구성을 취하는 것이 좋다. 그러나 교직 논술과 달리, 교육학 논술의 경우 교육학 이론을 배경으로 결론을 도출해야 하기 때문에 꼭 두괄식 구성만 고집할 필요는 없다. 논점에 따라 자기가 쓰기 쉬운 방법을 채택하면 될 것이다. 다음 ①, ②의 글은 '교육과정의 유형'만 놓고 본다면 ①은 두괄식이며, ②는 미괄식이다. 그러나 '교사의 역량'을 주제로 상정한다면 ①과 ②는 주제가 그 문단의 뒷부분에 나오므로 모두 미괄식 구성이 된다. ③은 미괄식 구성의 글이다.

> ① <u>김 교사의 수업 구성에 나타난 교육과정 유형은 경험중심 교육과정이다</u>. 경험중심 교육과정은 학생의 경험을 중심으로 교육과정을 구성하고, 학생의 흥미와 요구를 토대로 운영하는 교육과정을 의미한다. 경험중심 교육과정의 장점은 다음과 같다. 첫째, 수업 내용과 활동이 학생의 흥미와 필요에 바탕을 두기 때문에 학생의 자발적인 활동을 촉진한다. 둘째, 실제 생활의 문제를 다룸으로써 실제적인 문제해결능력을 증진시킨다. 반면, 경험중심 교육과정의 문제점은 다음과 같다. 첫째, 학생의 흥미와 필요가 중심이 되므로 학생들의 기초학력이 저하될 수 있다. 둘째, 직접 경험에 근거하여 수업을 운영할 경우 시간이 오래 걸려 교육과정 운영의 효율성이 저하될 수 있다. <u>이에 근거해 볼 때 교사는 성취기준 달성에 효과적인 교육과정 유형을 선택하고, 최적의 수업 방안을 마련할 수 있는 교과 역량을 갖추고 있어야 한다</u>.
>
> 16 교육학 논술

MEMO

② 경험중심 교육과정은 학생의 경험을 중심으로 교육과정을 구성하고, 학생의 흥미와 요구를 토대로 운영하는 교육과정을 의미한다. 이런 점에서 학생의 경험과 흥미를 강조한 김 교사의 수업 구성은 경험중심 교육과정에 따른 것이다. 경험중심 교육과정의 장점은 다음과 같다. 첫째, 수업 내용과 활동이 학생의 흥미와 필요에 바탕을 두기 때문에 학생의 자발적인 활동을 촉진한다. 둘째, 실제 생활의 문제를 다룸으로써 실제적인 문제해결능력을 증진시킨다. 반면, 경험중심 교육과정의 문제점은 다음과 같다. 첫째, 학생의 흥미와 필요가 중심이 되므로 학생들의 기초학력이 저하될 수 있다. 둘째, 직접 경험에 근거하여 수업을 운영할 경우 시간이 오래 걸려 교육과정 운영의 효율성이 저하될 수 있다. 이에 근거해 볼 때 교사는 성취기준 달성에 효과적인 교육과정 유형을 선택하고, 최적의 수업 방안을 마련할 수 있는 교과 역량을 갖추고 있어야 한다. 16 교육학 논술

③ 문화실조는 인간 발달에서 요구되는 문화적 환경의 결핍이나 시기적 부적절성에 의해 인지적, 사회적, 인간적 발달에 문제가 생기는 것을 의미한다. 제시문에서 가정환경이 좋지 않은 일부 학생들은 수업에 관심이 적고 적극적으로 참여하지 않는다. 그들은 수업 내용과 관련된 다양한 문화적 경험을 가지지 못했기 때문이다. 이처럼 가정환경이 열악한 학생들이 수업에 소극적인 이유는 문화적 환경 결핍에서 발생하는 문화실조 때문이다. 14 교육학 논술

⑸ 주장과 근거를 제시하여 논리적으로 써라.

논술은 적절한 근거를 들어 주장을 피력하는 글이다. 설득력을 높이려면 주장과 더불어 근거가 적절하게 제시되어야 한다. ① 먼저, 주장과 관련하여 설명하면 다음과 같다. 논증형 논술은 주장(소주제)이, 설명형 논술은 중심 문장(소주제)이 중심 생각이 된다. 그 중심 생각은 명제의 형태를 띤다. 사실 명제이든 가치 명제이든 정책 명제이든 상관없이 모두 명제의 형태로 진술할 수밖에 없다. 따라서 좋은 명제의 요건을 반드시 지켜야 한다. 첫째, 명제는 간결 명확해야 한다. 간결하면서도 명확한 단정적인 표현을 사용하도록 한다. 명제를 너무 길게 쓰지 않도록 한다. 둘째, 한 문장에 하나의 생각만 표현한다. ② 다음, 적절한 근거를 제시하도록 한다. 근거는 상술, 이유, 예시 등을 활용하면 쉽게 서술할 수 있을 것이다. 몇 가지 사실을 나열할 경우 근거의 배열 순서를 고려하는 것도 중요하다. 동일한 비중을 차지하는 사실이 아닐 경우에는 중요도 순서로 배열하면 무난할 것이다.

⑹ 문장력과 표현력에 신경을 쓰라.

① 동일한 명사나 서술어의 표현이 반복되지 않도록 한다.

동일한 명사나 서술어를 반복하여 쓰는 경우가 많다. 반복적인 표현은 글쓰기가 서투른 사람이 저지르는 대표적인 사례이다. 표현력과 문장력이 부족하다는 것을 스스로 드러내는 꼴이 되니 특히 유의하여야 한다. 평소 글을 쓸 때 동일한 표현을 반복하고 있는 것은 성찰하는 자세가 필요하다. 특히 서술어를 다양하게 바꾸어 표현하는 연습을 많이 해 두어야 한다.

MEMO

02

예 표현의 반복이 심한 글

- A가 ~이 이루어지고 있다. A가 …도 이루어지고 있다. 따라서 A는 ~~이 이루어지고 있다.
- 교사는 ~해야 한다. 교사는 …해야 한다. 교사는 ~~해야 한다.
- ~해야 한다. …해야 하는 것이다. ~~해야 할 것이다.
- ~이 필요하다. …이 필요하다. ~~이 필요하다.

② 접속어를 남발하지 않도록 한다.

접속어는 단어와 단어, 구절과 구절, 문장과 문장을 이어 주는 구실을 하는 문장 성분을 말한다. 글을 잘 쓰는 사람은 접속 부사나 접속 어구 없이도 매끄럽게 논리를 전개한다. 그러나 글쓰기가 서투른 사람은 접속 장치를 만들어 억지로 논리성을 갖추려고 한다. 모든 문장마다 '그러나, 그래서, 그러므로, 결국, 다시 말하면' 등의 접속어를 남발하는 것이다. 접속어를 남용하면 그것이 군더더기가 되어 문장 표현력을 떨어뜨리고 글을 볼품없게 만든다. 특히 일이 순서대로 진행될 때는 접속어가 글의 긴장감을 떨어뜨리므로 없애는 것이 낫다. 문장을 연결할 때 가능하면 접속어 없이 쓰는 버릇을 들여야 한다. 접속어는 꼭 필요한 경우에만 쓰도록 한다.

예 접속어를 남용한 글

: 시간 순서로 문장이 전개되거나, 글의 흐름상 접속어 없이도 무방하면 접속어를 없애는 것이 낫다.

- 왔노라. 그리고 보았노라. 그래서 이겼노라.
  ⇨ 왔노라. 보았노라. 이겼노라
- 철수는 참다못해 담당직원에게 전화를 했다. 그런데 마침 그는 자리에 없었다.
  ⇨ 철수는 참다못해 담당직원에게 전화를 했다. 마침 그는 자리에 없었다.
- 어젯밤 밤늦도록 공부하느라 늦게 일어났다. 그래서 학교에 지각했다. 그러나 다행히 선생님께 혼나지 않았다.
  ⇨ 어젯밤 밤늦도록 공부하느라 늦게 일어났다. 학교에 지각했다. 다행히 선생님께 혼나지 않았다.
- 학교에서 동료는 경쟁자이자 협력자이다. 따라서 자신이 성장하려면 동료와의 경쟁과 협력이 필수적이다. 그러므로 자신이 그들보다 뛰어난 자질과 실력을 갖추고 그들에게서 적절한 협력을 이끌어 내는 것이 중요하다.
  ⇨ 학교에서 동료는 경쟁자이자 협력자이다. 자신이 성장하려면 동료와의 경쟁과 협력이 필수적이다. 그러므로 자신이 그들보다 뛰어난 자질과 실력을 갖추고 그들에게서 적절한 협력을 이끌어 내는 것이 중요하다.

MEMO

개념 다지기

접속어

① 순접 관계 : 앞의 내용을 그대로 이어 주는 구실 예 그리고, 그리하여, 이리하여 등
② 역접 관계 : 앞의 내용과 상반되는 내용을 이어 주는 구실 예 그러나, 그렇지만, 하지만, 그래도 등
③ 인과 관계 : 앞뒤의 내용을 원인과 결과로, 또는 결과와 원인으로 연결시키는 구실
예 그래서, 따라서, 그러므로, 그러니까, 왜냐하면 등
④ 대등 · 병렬 관계 : 앞뒤의 내용을 같은 자격으로 나열하면서 이어 주는 구실
예 그리고, 또는, 혹은, 첫째~, 둘째~, 및, 이와 함께 등
⑤ 첨가 · 보충 관계 : 앞의 내용에 새로운 내용을 덧붙이거나 보충하는 구실
예 그리고, 또, 뿐만 아니라, 더구나, 게다가, 아울러 등
⑥ 전환 관계 : 뒤의 내용이 앞의 내용과는 다른 새로운 생각이나 사실을 서술하여 화제를 바꾸며 이어 주는 구실 예 그런데, 그러면, 한편, 다음으로, 여기에, 아무튼 등
⑦ 예시 관계 : 앞의 내용에 대해 구체적인 예를 들어 설명하는 구실 예 예컨대, 예를 들면, 이를테면 등
⑧ 환언 관계 : 앞의 내용을 바꾸어 말하는 구실 예 즉, 곧, 바꾸어 말하면, 환언하면, 말하자면 등
⑨ 요약 관계 : 앞의 내용을 간추려 짧게 요약하는 구실 예 결국, 요컨대, 즉, 말하자면 등

접속어 사용 원칙

- 접속어는 최소한으로 쓴다.
- 접속어가 많으면, 글의 긴장감과 표현력을 떨어뜨리고 글을 볼품없게 만든다.
- 접속어를 생략하면 이상한 곳에 쓴다.
- 긴 문단의 머리에는 접속어를 사용하면 쉬운 문장, 친절한 문장이 된다.
- 결론을 유도하는 접속어는 논리적 사고를 유도하므로 생략하지 않아도 좋다.
- 묘사 표현에는 접속어를 가능하면 생략하고, 설명 표현에는 접속어를 효과적으로 사용한다.

③ 표지어 사용에 유의한다.

열거 짜임의 글에서 몇 가지 사실을 나열할 때 표지어를 사용한다. '첫째, …. 둘째, ….', '먼저, …. 다음으로, …' 등이 그것이다. 표지어를 사용하면 방향을 미리 알려주어 글의 전달력이 매우 빠르다. 그러나 표지어의 사용이 일정하지 않을 경우에는 오히려 혼란만 초래한다. 예를 들어, '첫째, …, 두 번째, …, 셋째, …', '우선, …, 그리고, …, 셋째는, …' 등과 같은 경우는 오히려 혼란만 줄 뿐 글의 전달력을 떨어뜨린다. 표지어는 일관성 있게 사용하여야 한다.

표지어는 큰 항목과 작은 항목으로 나누어 서술할 때도 필요하다. 이 때는 큰 항목을 '첫째, …. 둘째, …. 셋째, ….' 등으로 나누고, 큰 항목에 딸린 작은 항목을 '먼저, …. 다음으로, …, 마지막으로, …' 등으로 서술할 수 있다. 반대로 큰 항목을 '먼저, …. 다음으로, …, 마지막으로, …' 등으로 나누고, 큰 항목에 딸린 작은 항목을 '첫째, …. 둘째, …. 셋째, ….' 등으로 서술하여도 좋다. 서술하기 전에 꼭 한 번 생각하고 표현하도록 한다.

MEMO

02

표지어를 사용할 때에는 특히 호응관계를 고려하여야 한다. 항목화하는 표지어 사용 방법을 제시하면 다음과 같다.

표지어와 관련하여 올바른 문장 사용의 예

① 경험중심 교육과정의 장점을 제시하면 다음과 같다. 첫째, ……
② 경험중심 교육과정의 장점은 다음과 같다. 첫째, ……
③ 경험중심 교육과정의 장점을 살펴보면, 첫째, ……
④ 경험중심 교육과정은 첫째, ……라는 장점이 있다.
⑤ 경험중심 교육과정의 장점에는(으로) 첫째, ……이(가) 있다.
⑥ 경험중심 교육과정의 장점으로 첫째, ……을 들 수 있다.
⑦ 경험중심 교육과정의 장점은 첫째, ……이다.

표지어와 관련하여 그릇된 문장 사용의 예

① 수업에 소극적으로 행동하는 이유는 첫째, ……한다. (→ 주술 호응관계에 어긋남)
⇨ 수업에 소극적으로 행동하는 이유는 첫째, …… 때문이다
⇨ 수업에 소극적으로 행동하는 이유는 첫째, ……라는 것(점)이다.
⇨ 수업에 소극적으로 행동하는 첫 번째 이유는 ……라는 것(점)이다. 두 번째 이유는 ……라는 것(점)이다.
⇨ 수업에 소극적으로 행동하는 이유는 다음과 같다. 첫째, ……이다.

② 학생 행동 관리의 필요성은 첫째, ……한다. (→ 주술 호응관계에 어긋남)
⇨ 학생 행동 관리의 필요성은 첫째, ……라는 것(점)이다.
⇨ 학생 행동 관리의 필요성으로 첫째, ……를 들 수 있다.
⇨ 학생 행동 관리의 필요성을 제시하면 다음과 같다. 첫째, ……이다.

④ 두 문장을 한 문장으로, 한 문장을 두 문장으로 자유롭게 쓸 수 있도록 연습해 둔다.

본론에서 논점을 논의하다 보면 두 문장을 한 문장으로, 한 문장을 두 문장으로 표현해야 할 때가 종종 발생한다. 이것은 지면의 제약 때문에 글을 효율적으로 써야 할 때가 가장 많기 때문이며, 또, 글의 논리 전개상 강약을 조절하기 위한 방편으로 사용하기도 한다. 단문 위주의 글보다는 단문과 중문이 조화를 이루는 글이 부드럽게 읽히며 매끄럽게 느껴진다.

예를 들어 다음과 같이 두 문장을 한 문장으로, 한 문장을 두 문장으로 서로 바꾸어 표현할 수 있다. "경험중심 교육과정의 장점은 다음과 같다. 첫째, 학생의 자발적인 활동을 촉진한다. 왜냐하면 수업 내용과 활동이 학생의 흥미와 필요에 바탕을 두기 때문이다." ⇆ "경험중심 교육과정의 장점은 다음과 같다. 첫째, 수업 내용과 활동이 학생의 흥미와 필요에 바탕을 <u>두므로</u> 학생의 자발적인 활동을 촉진한다."

두 문장을 한 문장으로 표현할 때 사용하는 것이 연결어미이다. 연결어미의 종류를 파악하고 적절하게 활용하면 좋다.

MEMO

개념 다지기

연결어미

1. **대등적 연결어미**: 의미적으로 대등한 두 절을 이어 주는 연결어미

예 '-고', '-(으)며', '-(으)나' 따위

종류	어미 형태	문장 예시
병렬(나열)	-고, -(으)며, (으)면서	엄마는 커피를 마시고, 나는 우유를 마신다. 우유를 마시며 공부를 한다. 그림을 보면서 빵을 먹는다.
대조	-(으)나, -지만, -다만	영희는 갔으나, 철수는 남았다. 열심히 뛰었지만 지하철을 놓쳤다.
선택	-거나, -든지, -느니	밥을 먹거나 빵을 먹어. 밥을 먹든지 빵을 먹든지 결정해라.

2. **종속적 연결어미**: 앞의 문장을 뒤의 문장에 종속적으로 이어 주는 연결어미

예 '-면', '-니' 따위

예 봄이 오면, 꽃이 핀다. / 겨울이 되니, 날씨가 춥다.

종류	어미 형태	문장 예시
인과(이유)	-니까, -아/어서, -므로	배가 고프니까 밥을 먹는다. 철수는 어려서 학교에 못 간다.
조건(가정)	-면, -니, -아/어야, -라면, -거든	봄이 오면 꽃이 핀다. 겨울이 되니 날씨가 춥다. 산에 가야 범을 잡지. 성적이 오르거든 칭찬해 주어라.
목적(의도)	-러, -려고, -고자	공부를 하러 학교에 간다. 공부를 하려고 책상에 앉았다.
지속	-아/어서,	우리는 모여서 놀았다.
전환	-다가, -다	공부하다가 나갔다.
동시	-자(마자)	까마귀 날자 배 떨어진다.
양보	-ㄹ망정, -ㄹ지언정, -ㄴ들, -더라도, -아도/어도	누가 이기더라도 나는 상관하지 않아.
배경(상황)	-는데	바쁜 일이 있는데 도와줘.
더욱	-ㄹ수록	벼는 익을수록 고개를 숙인다.
비유	-듯이	구름에 달 가듯이 가는 나그네

3. **보조적 연결어미**: 본용언에 보조용언을 연결하는 연결어미

예 '-아/어', '-게', '-지', '-고' 따위

예 동생이 사과를 먹어 버렸다. / 철수를 생각해 보아라. / 나는 현명한 사람이고 싶다.

(7) 각 논점에 맞는 서술 방식을 취하라.

각 논점이 설명형 논술을 요하는지, 논증형 논술을 요하는지 정확히 파악하여 그에 맞게 서술한다. 설명형 논술의 경우, 정의법, 상술법, 분석법, 분류법, 비교 대조법, 예시법, 인용법 등을 토대로 논점에 맞는 방법을 택하여 설명한다. 논증형 논술의 경우, 연역법, 귀납법, 유추법, 가추법 등을 토대로 적합한 것을 택하여 논증한다. 중요한 것은 각 논점의 논술 형태를 분명히 파악하는 것이다.

MEMO

02

06 결론 쓰기

1 결론 쓰기의 방법

① 요약 : 전체 주제(대주제) + 핵심 논점(소주제) 정리
② 전망 : 발전적 의견 제시

결론은 글의 마무리로서 글 전체를 요약·정리하여 매듭짓는 부분이다. 따라서 결론에서는 서론에서 본론까지의 내용을 정리하고, 자신의 주장을 최종적으로 확정한다. 그러나 본론에서의 주장을 그대로 복사하여 단순 반복하는 결론은 식상한 느낌을 주게 되므로 유의하여야 할 것이다.

가장 바람직한 결론은 결론 자체가 동일한 논제에 대한 '아주 짧은 논술'이라고 생각하며 쓰는 것이다. 결론은 한 문단의 비교적 짧은 분량의 글이지만 그 안에서도 전체 주제(대주제)와 핵심 논점(소주제)이 분명하게 드러나야 한다.

(1) 요약

결론의 첫 번째 과제는 본론의 주장을 요약하고 정리하는 것이다. 따라서 동일한 논제에 대해 '아주 짧은 논술'을 새로 쓴다고 생각하고, 핵심 논점들을 다시 언급하며 정리해 주도록 한다. 본론에서 논의한 핵심 논점(소주제)들이 모여 전체 주제(대주제)를 구성하듯이, 결론도 '전체 주제(대주제)'와 '핵심 논점(소주제)'을 정리해 주면 된다.

먼저, 첫 문장에 '전체 주제(대주제)'를 재확인하고 강조한다. 본론에서의 핵심 논점들에 대한 최종 답변이라고 생각하면 된다. 최종 답변을 한 문장으로 간결하게 표현함으로써 확실한 마무리가 되도록 하는 것이다. '전체 주제(대주제)'를 한 문장으로 제시하면 된다.

다음, 두 번째 문장부터는 '핵심 논점(소주제)'들을 간결하게 요약한다. 요약할 때에는 본론의 구체적인 내용을 모두 요약하려 들어서는 안 되며, 핵심 논점들만 간략하게 재구성하여 정리해야 한다. 이때 핵심 논점들을 관련 있는 것끼리 묶어 각각 한 문장씩 요약하도록 한다. 이렇게 하면 대개 핵심 논점 4~5개가 2~3 문장으로 재구성하여 요약된다.

MEMO

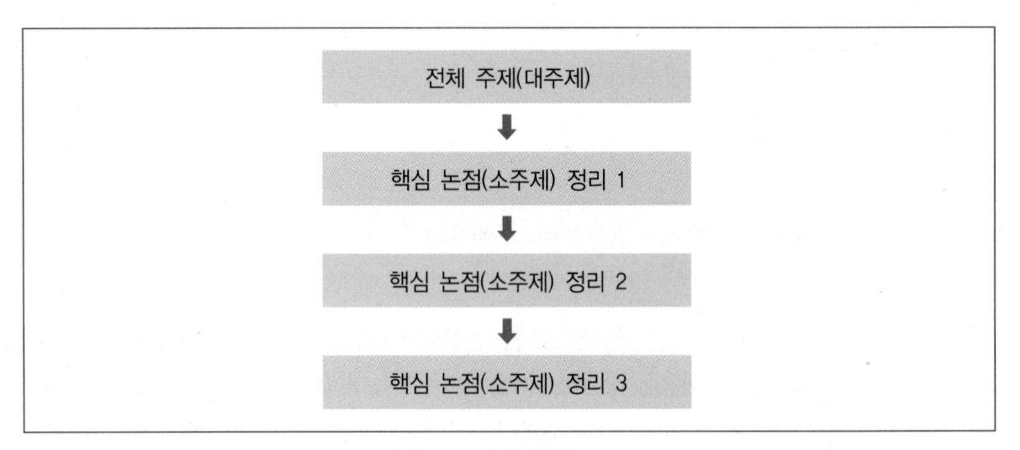

요약하기 방법

(2) 전망

전망은 본론에서의 논의가 진척될 경우 생각할 수 있는 미래를 제시하는 것이다. 그렇기 때문에 결론에서 전망을 곁들이면 글의 완성도를 높이고 글 전체를 더욱 의미 있게 만들 수 있다. 그러나 임용 논술에서는 전망을 굳이 쓰지 않아도 된다. 전망을 하지 않고 글을 마무리할 경우에는 마지막 문장의 서술어를 '~하여야 할 것이다.'라는 표현으로 마무리하면 좋다. 나름대로 미래의 전망과 연관될 수 있는 미래형 표현이기 때문이다.

전망을 쓸 때 흔히 범하는 실수 중의 하나가 너무 거창한 전망을 한다는 점이다. '~하는 것이 우리 교육의 희망을 위한 길이다.', '~하면 우리 교육의 미래는 밝을 것이다.' 등과 같은 거창한 전망은 논점에서 너무 멀어진 억지 전망으로 보이며 절대 쓰지 않도록 한다.

2 결론 쓰기의 유의점

(1) 상투적인 표현을 쓰지 말자.

결론의 첫 문장에서 흔히 사용하는 서술 방식 중의 하나가 "지금까지 ~에 대하여 살펴보았다."라는 표현 방식이다. 이런 표현 방식을 쓴다고 하여 특별히 잘못된 것은 아니지만 너무 상투적인 느낌을 주므로 지양하는 것이 바람직하다. 결론도 하나의 완결된 글이라는 느낌을 줄 필요가 있으므로 이런 상투적인 표현보다는 한 편의 짧은 글을 새로 쓰는 기분으로 도입 문장을 쓰는 것이 좋다.

MEMO

02

(2) 본론의 핵심 논점들을 요약할 때 구체적인 내용을 그대로 되풀이하지 말자.

논제의 핵심 논점들은 이미 본론에서 충분히 다루었던 내용들이다. 따라서 결론에서 또 똑같은 내용을 구체적인 수준의 것까지 끌어들여 와 그대로 쓴다면 중복해서 논의하는 셈이 된다. 그러므로 본론의 핵심 내용을 표현을 달리하여 재구성하고 밀도 있게 요약할 필요가 있다. 핵심 논점들을 관련 있는 것끼리 묶어 보면 핵심 논점 1~3개 정도는 한 묶음씩 묶이게 된다. 이렇게 묶음식 요약을 하면 대개 핵심 논점 4~5개가 2~3 문장으로 재구성하여 요약된다.

(3) 불필요한 사족을 달지 말자.

결론은 본론의 논의를 정리하는 단계이다. 결론에서 무엇인가 새로 논의하거나 불필요한 말을 쓰게 되면 글의 일관성과 통일성을 떨어뜨릴 위험이 있다. 따라서 핵심 논점에 벗어난 새로운 논의를 진척시킨다든지, '어쨌든, 좌우지간, 어차피' 등과 같은 불필요한 접속어는 가급적 사용하지 않도록 한다.

예시

결론의 예

❶ 2016학년도 유치원 교직 논술

교사는 교육과정을 유연하고 탄력적으로 운영할 수 있어야 한다. 교육과정은 학습자의 요구나 유치원 현장의 실정에 맞춰 융통성 있게 변경할 필요가 있다. 교육과정을 탄력적으로 운영하고자 할 때에는 특별한 상황이나 활동 기회, 장애 유아 등을 고려하여야 한다. 무엇보다 교사는 자율성과 책무성을 갖고 교육과정의 탄력적 운영에 자신의 전문성을 발휘해 나가야 할 것이다. (198자/1,200자)

❷ 2016학년도 중등 교육학 논술

교사는 학교 사회가 요구하는 제반 역량을 필수적으로 갖추고 있어야 한다. 수업을 운영하는 교사는 자신의 역량을 십분 발휘하여 최적의 교육과정을 구성하고 상황과 목적에 맞게 평가를 시행할 수 있어야 한다. 특히 청소년기를 대상으로 하는 교사는 심리적 유예기라는 학생의 심리 특성을 파악하여 학생의 정체성 발달을 도울 수 있어야 한다. 나아가 학교 조직의 한 구성원인 교사는 학교 조직 전체의 조화와 효율성을 극대화할 수 있도록 조직 활동 역량을 적극 발휘해 나가야 할 것이다.

❸ 2015학년도 중등 교육학 논술(상반기)

교사는 학교 및 수업에 대한 기본적인 이해를 바탕으로 사회의 다양한 요구에 효율적으로 대응할 수 있어야 한다. 그러자면 교사는 학교 교육의 선발·배치 기능과 한계, 학교조직의 이중적 특징을 파악하여 학생 지도와 행정 업무 처리에 전문성을 발휘할 수 있어야 한다. 나아가 여러 가지 수업 설계 모형을 활용하여 수업을 설계하고, 학습목표에 근거한 평가를 시행하면서 학생들의 성취감을 고취해 나가야 할 것이다.

MEMO

07 수정하기

1 수정하기의 중요성

수정하기란 한 편의 글을 다 쓴 후에 보다 좋은 글이 되도록 검토하며 바로잡는 것을 말한다. 수정하기는 고쳐쓰기나 퇴고 등으로 불리기도 한다. 임용 논술문은 시험 현장에서 짧은 시간에 작성한 글이기에 실수를 범할 가능성이 언제나 있게 마련이다. 따라서 비록 짧은 시간일지라도 전체적인 내용을 빠르게 검토하며 오류를 바로잡는 과정이 반드시 필요하다. 특히 득점과 직결되는 핵심 논점의 내용에 빠진 부분이 없는지, 논리력 및 표현력에서 오류가 없는지 꼭 확인하며 점검해야 하는 것이다.

2 수정하기 방법

(1) 상위 수준에서 하위 수준으로 수정한다.

글의 수정은 상위 수준에서 하위 수준으로 하는 것이 좋다. 즉, 글 전체의 수준, 문단, 문장 및 단어 수준으로 수정한다.

글 전체 수준에서는 주제가 잘 드러났는지(주제의 명료성), 주제가 일관되어 있는지(주제의 일관성), 논리 전개에 문제가 없는지(논리 전개) 등을 검토한다. 문단 수준에서는 문단과 문단의 연결이 자연스러운지, 한 문단에 하나의 중심 생각이 들어갔는지(불필요한 내용은 삭제하고 부족한 내용은 보충), 문장과 문장의 연결이 자연스러운지(불필요한 문장은 삭제) 등을 확인한다(문단의 통일성과 응집성). 문장 및 단어 수준에서는 문장의 호응이 잘 이루어졌는지[주어와 서술어, 목적어와 서술어, 시간을 나타내는 말과 서술어, 꾸며 주는 말과 꾸밈을 받는 말(예 비록 -(으)ㄹ지라도, 마치 ~처럼) 등이 잘 어울리는지], 문장이 정확하고 명료한지(문장의 정확성과 명료성) 등을 검토한다. 또, 단어가 정확하고 적절하게 사용되었는지(잘못 쓴 낱말이나 틀린 글자 등), 띄어쓰기는 올바른지도 확인한다.

MEMO

02

교정부호

띄어 쓸 때	∨	여러 글자를 고칠 때	
붙여 쓸 때	⌒	글자를 뺄 때	
한 글자를 고칠 때		글의 내용을 추가할 때	
줄을 바꿀 때		앞뒤 순서를 바꿀 때	
줄을 이을 때		필요 없는 내용을 지울 때	=

⑵ 첨가, 삭제, 대체, 이동의 원칙에 따라 수정한다.

글에서 잘못이나 오류가 발견되면, 내용을 첨가하거나(첨가의 원칙), 불필요한 내용을 삭제하거나(삭제의 원칙), 다른 내용으로 대체하거나(대체의 원칙), 다른 곳으로 이동하는(이동의 원칙) 방법으로 수정한다.

⑶ 채점 요소를 고려하여 수정한다.

논술의 채점 요소인 내용, 논리, 표현의 세 영역을 중심으로 수정해야 할 부분이 무엇인지 살펴보아야 한다. 수정하기는 좋은 글을 만들기 위한 과정이지만, 그것은 어디까지나 논술 시험에서 득점과 연결될 때 의미가 있다. 따라서 논제의 지시문과 배점 기준표, 핵심 논점들을 다시 상기하며 빠뜨린 부분이나 오류가 없는지 확인하며 글을 수정하여야 한다.

Chapter 02

올바른 문장 표현

MEMO

01 문장의 호응에 맞게 쓰기

호응이란 문장에서 앞에 어떤 말이 오면 거기에 대응하는 말이 따라오는 것을 말한다. 호응이 이루어지지 않으면 어색한 문장이 되거나, 말하거나 쓴 사람의 의도가 잘못 전달될 수 있다. 따라서 글을 쓸 때 주어와 서술어의 호응은 어떠한지, 목적어와 서술어의 호응은 어떠한지, 각 구성 요소들 간의 논리적인 호응은 어떠한지, 단어들 간의 호응은 어떠한지 등에 항상 유의하여야 한다.

개념 다지기

문장 성분 간의 호응 관계

1. 주어와 서술어의 호응
   예 숲 속에는 다람쥐와 새가 지저귀고 있다. ⇨ 숲 속에는 다람쥐가 뛰놀고 새가 지저귀고 있다.
   ✦ 주어에 호응이 이루어지는 서술어를 넣거나, 서술어에 호응이 이루어지는 주어를 넣어 문장을 바르게 고쳐 쓸 수 있다.
2. 목적어와 서술어의 호응
   예 우리는 국민 통합과 국가 경쟁력을 높여야 한다. ⇨ 우리는 국민 통합을 이루고(국민을 통합하고) 국가 경쟁력을 높여야 한다.
   ✦ 목적어가 여러 개이고 서술어는 하나인 경우 각각의 목적어는 서술어에 똑같이 호응해야 한다. 목적어에 어울리는 서술어를 넣어 문장을 고쳐 쓸 수 있다.
3. 꾸며 주는 말(부사어)과 꾸밈을 받는 서술어의 호응
   예 그것은 결코 위험한 행동이 맞다. ⇨ 그것은 결코 위험한 행동이 아니다.
   ✦ '결코', '전혀', '별로'는 '아니다', '없다', '아니하다', '못하다' 등과 같은 단어는 부정의 뜻을 가진 서술어와 호응이 이루어진다.
4. 동작을 하는(당하는) 주어와 서술어의 호응
   예 동생이 누나에게 업혔다. / 도둑이 경찰에게 잡혔다.
5. 시간을 나타내는 말과 서술어의 호응
   예 내일 도서관에 갈 거야. / 나는 어제 동화책을 읽었다.
6. 높임의 대상을 나타내는 말과 서술어의 호응
   예 아버지께 선물을 드렸다. / 할머니께서 떡을 주셨다.

MEMO

02

1 주어와 서술어의 호응에 맞게 쓰기

기본적으로 주어와 서술어는 호응관계를 이루어야 한다. 그런데 주어가 둘 이상이거나 문장이 길어지는 경우 흔히 주어와 서술어의 호응에 오류가 생긴다. 이 경우 주어에 호응이 이루어지는 서술어를 넣거나, 서술어에 호응이 이루어지는 주어를 넣어 문장을 바르게 고쳐 쓸 수 있다.

예시

① 내 꿈은 훌륭한 교사가 되어 아이들에게 배움의 재미를 가르치려고 한다.
↳ **주어 '내 꿈'과 서술어 '가르치려고 한다'가 호응되지 못한다.**
➡ 내 꿈은 훌륭한 교사가 되어 아이들에게 배움의 재미를 가르치는 것이다.
➡ 나는 훌륭한 교사가 되어 아이들에게 배움의 재미를 가르치려고 한다.

② 요즘 어린이들이 가장 원하는 선물은 스마트폰을 받는 것이다.
➡ 요즘 어린이들이 가장 원하는 선물은 스마트폰이다.
➡ 요즘 어린이들이 가장 받기를 원하는 선물은 스마트폰이다.

③ 갈등이 발생할 때 유의할 점은 갈등 당사자들이 협의하여 해결해야 한다.
➡ 갈등이 발생할 때 유의할 점은 갈등 당사자들이 협의하여 해결해야 한다는 것이다.
➡ 갈등이 발생할 때 갈등 당사자들은 협의하여 해결해야 한다.

④ 교육부 내에서는 조기 영어교육에 대해 찬반 논란이 팽팽하게 맞서고 있다.
➡ 교육부 내에서는 조기 영어교육에 대해 찬반이 팽팽하게 맞서고 있다.
➡ 교육부 내에서는 조기 영어교육에 대해 찬반 논란이 거세게 일고 있다.

⑤ 국내에 풍력 발전기가 설치된 곳은 북제주군, 전북 새만금, 경북 포항 등 다섯 곳에서 상업발전을 하고 있다.
➡ 국내에 풍력 발전기가 설치되어 상업발전을 하는 곳은 북제주군, 전북 새만금, 경북 포항 등 다섯 곳이다.

⑥ 집시 인구는 약 180~400만 명으로 추정된다. 그중 동유럽 국가에서 집시는 150만 명 정도가 살고 있다.
➡ 집시 인구는 약 180~400만 명으로 추정된다. 그중 동유럽 국가에 살고 있는 집시는 150만 명 정도이다.
➡ 집시 인구는 약 180~400만 명으로 추정된다. 그중 동유럽 국가에는 150만 명 정도의 집시가 살고 있다.

⑦ 학업성취도가 떨어지는 학생들은 방과 후에 보충수업을 시켜야 한다.
➡ 학업성취도가 떨어지는 학생들은 방과 후에 보충수업을 받아야 한다.
➡ 학업성취도가 떨어지는 학생에게는 방과 후 보충수업을 시켜야 한다.

MEMO

⑧ 요즘 사람들은 새삼 한자의 중요성을 인식하고 교육하고자 하는 한자교육 바람이 불고 있다.
➡ 요즘 새삼 한자의 중요성이 부각되면서 한자교육 바람이 불고 있다.
➡ 요즘 사람들은 새삼 한자의 중요성을 인식하고 한자교육을 강조하고 있다.

⑨ 학술용어의 필요성에 따른 한자 사용은 현재 학계의 거두들이 한자 세대이기 때문에 그들의 편의에 따라 한자 사용이 많은 것이지, 곧 한글 세대들이 학계를 주도하게 되고, 그들이 한자용어를 한글로 바꾸려는 노력이 계속된다면 자연히 학술연구에도 한자 사용이 불필요해질 것이다.
➡ 학계에서 한자 사용이 많은 것은 학술용어의 필요성 때문은 아니다. 현재 학계의 거두들이 한자세대이기 때문에 그들의 편의에 따라 한자를 많이 사용하는 것일 뿐이다. 곧 한글세대들이 학계를 주도하게 되고, 그들이 한자용어를 한글로 바꾸려는 노력을 계속한다면 자연히 학술연구에서도 한자 사용이 불필요해질 것이다.

⑩ 숲속에는 다람쥐와 새가 지저귀고 있다.
➡ 숲속에는 다람쥐가 뛰놀고 새가 지저귀고 있다.

- 나는 동생보다 키와 몸무게가 더 무겁다. ⇨ 나는 동생보다 키가 크고 몸무게가 더 무겁다.
- 책과 연필심이 부러졌다. ⇨ 책이 찢어지고 연필심이 부러졌다.
- 비와 바람이 세차게 불었다. ⇨ 비가 오고 바람이 세차게 불었다.

⑪ 학교는 지식뿐만 아니라 인성, 공동체 의식까지 폭넓게 배울 수 있다.
➡ 학교는 지식뿐만 아니라 인성, 공동체 의식까지 폭넓게 배울 수 있는 곳이다.

⑫ 여기서 주장하는 바는 교육에 경제 논리가 개입되면 인간성을 파괴하기 쉽다.
➡ 여기서 주장하는 바는 교육에 경제 논리가 개입되면 인간성을 파괴하기 쉽다는 것이다.

⑬ 창의적 체험활동은 배려와 나눔을 실천하는 창의 인재를 양성하려는 취지이다.
➡ 창의적 체험활동은 배려와 나눔을 실천하는 창의 인재를 양성하려는 취지로 신설(도입)하였다.
➡ 창의적 체험활동은 배려와 나눔을 실천하는 창의 인재를 양성하려고 신설(도입)하였다.

⑭ 평가가 서열 중심에서 성취 중심으로 전환되어 가는 추세이다.
➡ 평가가 서열 중심에서 성취 중심으로 바뀌고 있다.

MEMO

02

2 목적어와 서술어의 호응에 맞게 쓰기

목적어와 서술어가 어울리지 않거나(예 축구를 차다), 목적어가 여러 개이고 서술어가 하나인 경우(예 신문과 TV를 시청하다) 흔히 목적어와 서술어의 호응에 오류가 생긴다. 목적어가 여러 개이고 서술어는 하나인 경우 각각의 목적어는 서술어에 똑같이 호응해야 한다. 목적어에 어울리는 서술어를 넣어 문장을 고쳐 쓸 수 있다.

예시

① 사고 원인 파악과 재발 방지 대책을 조속히 마련하여 이번과 같은 일이 다시는 일어나지 않도록 해야 한다.

↳ **목적어가 2개('사고 원인 파악'과 '재발 방지 대책')가 서술어('마련하여')에 각각 호응하지 못한다. 목적어가 여러 개이고 서술어가 하나인 경우, 각각의 목적어는 서술어에 호응해야 한다.**

➡ 사고 원인을 파악하고 재발 방지 대책을 조속히 마련하여 이번과 같은 일이 다시는 일어나지 않도록 해야 한다.

② 임용시험 합격을 위해 낮에는 강의를, 밤에는 복습을 한다.

➡ 임용시험 합격을 위해 낮에는 강의를 듣고, 밤에는 복습을 한다.

③ 간염 보균자와는 식사도 술도 같이 마셔서는 안 된다는 편견과 오해가 쉽게 해소되지 않고 있다.

➡ 간염 보균자와는 함께 식사를 하거나 술을 마셔서는 안 된다는 편견과 오해가 쉽게 해소되지 않고 있다.

④ 논술을 잘 하려면 신문과 TV 뉴스를 열심히 시청해야 한다.

➡ 논술을 잘 하려면 신문을 꼼꼼히 읽고 TV 뉴스를 열심히 시청해야 한다.

⑤ 시민단체는 주민들의 삶을 파괴하는 무분별한 도박장 유치 계획을 전면 백지화할 것을 관계 당국에 강력히 항의했다.

➡ 시민단체는 주민들의 삶을 파괴하는 무분별한 도박장 유치 계획을 전면 백지화할 것을 관계 당국에 강력히 요구했다.

⑥ 존칭어법의 구조는 잘 사용될 때 배려적이고 고양적인 인간관계를 유지할 수 있다.

➡ 존칭어법을 잘 사용하면 타인을 배려할 수 있고 인간관계를 고양시킬 수 있다.

MEMO

3 시제의 호응에 맞게 쓰기

예시

① 사회가 발달함에 따라 여성의 사회적 지위가 높아짐을 물론 사회적 진출도 활발하다.
➡ 사회가 발달함에 따라 여성의 사회적 지위가 높아짐을 물론 사회적 진출도 활발해졌다.

② 오늘날 여성들의 사회참여는 옛날에는 상상도 할 수 없었을 만큼 증가했다. 그리고 각 분야에서 뚜렷한 두각을 나타내면서 지도자적 역할을 성공적으로 해나가는 여성 또한 적지 않았다.
➡ …… 그리고 각 분야에서 뚜렷한 두각을 나타내면서 지도자적 역할을 성공적으로 해나가는 여성 또한 적지 않아졌다.

③ 이런 시각에서 본다면 그동안 역사 속에 등장했던 위대한 여성들은 돌연변이나 운 좋은 여자쯤으로 취급되어야 할 것이다. 하지만 그들은 그렇지 않다. 피나는 노력 끝에 자기를 개발한 것일 뿐이다.
➡ …… 하지만 그들은 그렇지 않았다. 피나는 노력 끝에 자기를 개발했을 뿐이다.

4 논리적 호응에 맞게 쓰기

앞뒤 논리에 적합하지 않은 내용이 오거나 지나친 비약이 뒤따를 때 논리적 호응에 오류가 생긴다. 특히 두 절을 연결어미(대등적 연결어미, 종속적 연결어미)로 이어줄 때(예 '~고', '~(으)며', '~(으)나', '~지만' 등) 앞뒤 내용에 모순되는 연결어미를 사용하여 논리적 오류를 범하기도 한다.

예시

① 우리 교육에 대한 불만과 고쳐야 할 점으로 지식교육의 개선과 입시교육의 탈피를 많이 지적한다.
↳ **'불만과 고쳐야 할 점' 부분과 '지식교육의 개선과 입시교육의 탈피' 부분은 논리적으로 맞지 않다.**
➡ 우리 교육에 대한 불만과 고쳐야 할 점으로 지식교육과 입시교육을 많이 지적한다.
➡ 우리 교육에 대한 요구사항으로 지식교육의 개선과 입시교육의 탈피를 많이 지적한다.

② 초봄인데 비가 제법 내렸다. 올여름에는 큰 장마가 올 것임에 틀림없다.
↳ **두 문장 사이에 인과 관계가 없다.**
➡ 초봄인데 비가 제법 내렸다. 올여름에는 큰 장마가 오지 않을까 걱정이다.

③ 따뜻한 봄은 오고, 경제 불황기에 있는 우리의 가슴은 아직도 차갑다.
➡ 따뜻한 봄은 왔으나, 경제 불황기에 있는 우리의 가슴은 아직도 차갑다.
➡ 따뜻한 봄은 오고, 경제 불황기에 있는 우리의 가슴도 풀리기 시작했다.

④ 큰아이는 모범생이며, 작은아이는 음악을 좋아한다.
↳ **'~이며'는 둘 이상의 사물을 같은 자격으로 이어 주는 연결어미이므로 대등한 내용이 뒤따라야 한다.**
➡ 큰아이는 모범생이며, 작은아이는 우등생이다.
➡ 큰아이는 수학을 좋아하며, 작은아이는 음악을 좋아한다.

⑤ 내가 사범대학에 가려는 이유는 졸업 후 교사가 되기 위해서라기보다 학문을 탐구하는 것이다.
➡ 내가 사범대학에 가려는 이유는 졸업 후 교사가 되기 위해서라기보다 학문을 탐구하기 위해서다.

⑥ 속절없이 떨어지는 주가 하락에 제동을 걸기 위해 정부가 연·기금을 투입하기로 했다.
➡ 속절없이 떨어지는 주가에 제동을 걸기 위해 정부가 연·기금을 투입하기로 했다.
➡ 주가의 급속한 하락에 제동을 걸기 위해 정부가 연·기금을 투입하기로 했다.

⑦ 무작정 호수로 환원했다가는 자칫 수질 오염만 악화시킬 위험이 있다.
➡ 무작정 호수로 환원했다가는 자칫 수질 오염만 가중할 위험이 있다.
➡ 무작정 호수로 환원했다가는 자칫 수질만 악화시킬 위험이 있다.

5 단어의 의미상 제약에 유의하기

예시

① 임용시험에 많이 합격하여 우리 대학의 위상을 올려야 한다.
↳ **'위상'은 어떤 사물이 다른 사물과의 관계 속에서 가지는 위치나 상태를 의미하는데, '올리다'보다 '높이다', '강화하다'가 잘 어울린다.**
➡ 임용시험에 많이 합격하여 우리 대학의 위상을 높여야 한다.
➡ 임용시험에 많이 합격하여 우리 대학의 위상을 강화해야 한다.

② 기온이 따뜻해졌다.
↳ **'기온'은 따뜻함과 차가움의 정도 또는 그것을 나타내는 수치를 의미하므로, '따뜻하다', '차다'보다 '높다', '낮다'가 잘 어울린다.**
➡ 기온이 높아졌다.

③ 이번 임용시험에 떨어질 확률은 길을 걷다가 넘어질 확률보다 작다.
↳ **'확률'은 어떤 일이 일어날 확실성의 정도를 나타내는 수치이므로, '높다', '낮다'가 어울린다.**
➡ 이번 임용시험에 합격할 확률은 길을 걷다가 넘어질 확률보다 낮다.

④ 내일은 눈이 올 가능성이 높다.
↳ **'가능성'은 앞으로 실현될 수 있는 성질이나 정도로, '크다', '작다', '희박하다'가 어울린다.**
➡ 내일은 눈이 올 가능성이 크다.

MEMO

02

MEMO

⑤ 교사가 비교육적인 행동을 하는 것은 옳지 못하다.
↳ **'옳다'의 반대 개념으로는 '옳지 않다'가 어울린다. '못하다'는 '잘하다'의 반대 개념으로 '능력이나 정도가 부족하다'는 뜻이다. '너무 놀라서 말을 잇지 못했다.', '입이 아파서 읽지 못했다.' 등의 경우에 어울린다.**
➡ 교사가 비교육적인 행동을 하는 것은 옳지 않다.

⑥ 삼성은 인공지능 개발을 완료하고 지난달부터 본격 생산을 시작했다.
↳ **'~부터'는 '~까지'가 뒤따르는 일정한 시간 범위이며, '시작'은 일이 진행되는 그 순간의 개념이기 때문에 서로 어울리지 못한다. '지난달 시작했다' 또는 '지난달부터 하고 있다'가 잘 어울린다.**
➡ 삼성은 인공지능 개발을 완료하고 지난달 본격 생산을 시작했다.
➡ 삼성은 인공지능 개발을 완료하고 지난달부터 본격 생산을 하고 있다.

⑦ 서울시는 새 청사 계획 및 설계 등을 마치고 올해 말부터 공사에 들어갈 방침이다.
↳ **'들어가다'도 '시작하다'와 마찬가지로 순간의 개념이므로, '~부터'와 어울리지 않는다.**
➡ 서울시는 새 청사 계획 및 설계 등을 마치고 올해 말에 공사에 들어갈 방침이다.
➡ 서울시는 새 청사 계획 및 설계 등을 마치고 올해 말부터 공사를 할 방침이다.

⑧ 이번 한파에는 다행히 큰 피해를 입지 않았다.
↳ **'피해'는 손해를 입는다는 뜻이므로, '보다', '당하다'가 호응이 잘 된다.**
➡ 이번 한파에는 다행히 큰 피해를 보지 않았다.
➡ 이번 한파에는 다행히 큰 피해를 당하지 않았다.

MEMO

02

02 간단명료하게 쓰기

글쓰기에도 경제성의 원칙이 적용된다. 좋은 글이 되려면 간단명료하게 핵심만 정확하게 써야 한다. 내용이 복잡할수록 문장 구조는 더욱 단순해야 하며, 간단명료하면서 쉽게 써야 뜻이 잘 전달된다. 대체로 얕은 사고를 위장하려고 할 때 복잡한 문장 구조로 어렵게 쓴다. 한 문단은 하나의 중심 문장을 축으로 짧고 간단명료하게 뒷받침될 수 있도록 해야 한다.

평소 글을 쓸 때, 군더더기가 없는지, 수식어를 남발하지 않는지, 복잡하고 어렵게 표현하지 않는지, 문장을 길게 늘이지 않는지 등에 항상 유의하여야 한다. 가능하면 다이어트를 해서 근육만 만드는 글쓰기가 필요한 것이다. 글은 간결하게, 군더더기 없이, 이해하기 쉽게 써야 한다. 어느 정도 글쓰기 실력이 배양되면 글의 길이를 상황에 따라 짧게, 그리고 길게 강약을 조절하며 리듬 있게 써 보는 것도 좋다.

1 군더더기 빼기

글을 많이 써 보지 않은 사람들은 억지로 말을 늘이는 경향이 있다. 무언가 써야 한다는 강박관념과 무언가 많이 써야 그럴 듯해 보인다는 착각 때문일 것이다. 군더더기를 모두 빼고 꼭 필요한 말만 써서 간결하고 깔끔한 인상을 주어야 한다.

예시

① 요즘 학교 교육은 지식의 파편이나 기술을 주입하는 것에 치우쳐 있음을 부인할 수 없으며, 인간의 전 영역을 조화롭게 발달시키는 전인교육을 제대로 실천하지 못하고 있다고 볼 수 있다.

↳ **'파편', '부인할 수 없으며', '제대로'는 불필요한 군더더기의 말이다. '못하고 있다고 볼 수 있다'는 단정적인 표현으로 써야 깔끔하고 주장이 분명해진다.**

➡ 요즘 학교 교육은 지식이나 기술을 주입하는 데 치우쳐 있으며, 인간의 전 영역을 조화롭게 발달시키는 전인교육을 실천하지 못하고 있다.

② 우리는 인간의 삶에 있어서 건강한 몸과 신체의 완전성을 행복의 첫째 조건이 된다고 생각한다.

↳ **'인간의 삶에 있어서'는 군더더기이다. '건강한 몸과 신체의 완전성'은 결국 '건강'을 의미하므로 '건강'이라는 표현하면 뜻이 명확해진다. '조건이 된다고 생각한다'는 너무 길게 늘려 쓴데다가 주장이 단정적이지 못하다. 단정적인 표현이 바람직하다.**

➡ 건강은 행복의 첫째 조건이다.

MEMO

③ 우리 사회의 많은 분야가 지난 수십 년간에 걸쳐 국제 수준에 맞추어 급속한 발전을 이룩해 왔지만 이러한 추세에 부응해 제대로 따라오지 못한 분야 중 하나가 교육이다.
↳ **'간'이라는 말에 이미 '걸쳐'의 뜻이 포함되어 있다. '발전을 이룩하다'는 '발전하다'로, '추세에 부응해 제대로 따라오지'는 '추세를 따라오지'로 고쳐 써야 군더더기 없는 깔끔한 문장이 된다.**
➡ 우리 사회의 많은 분야가 지난 수십 년간 국제 수준에 맞추어 급속히 발전했지만 이러한 추세를 따라오지 못한 분야 중 하나가 교육이다.

④ 우리나라는 투자자 보호에 관한 법과 제도에 있어서 중요한 취약점이 있으며, 외국인들은 우리의 거시경제 정책에 대해 신뢰하지 않고 있다.
↳ **'~에 관한', '~에 있어', '~에 대해'라는 표현을 많이 쓰지만 불필요한 경우가 대부분이다.**
➡ 우리나라는 투자자를 보호하는 법과 제도가 매우 취약하며, 외국인들은 우리의 거시경제 정책을 신뢰하지 않고 있다.

⑤ 나에게 있어 권지수 교육학은 최고의 선택이다. 강의에 있어서 배운 것과 깨달은 것이 매우 많다.
↳ **'~에 있어(서)'는 불필요한 말이다. 또, '~것'이 연속으로 나와 어색하다.**
➡ 나에게 권지수 교육학은 최고의 선택이다. 강의에서 많은 것을 배우고 깨달았다(많이 ~).

⑥ 권지수 교육학 논술 모의고사를 통해 나타난 약점을 파악해 보강하는 과정을 통해 부족한 부분을 다시 공부하면 이번 임용시험에 합격할 수 있을 것이다.
↳ **'~을 통해', '~과정을 통해'는 군더더기 표현이 될 수 있으므로 남용하지 말아야 한다. '~을 통해'는 표준국어대사전에 나오는 용례이므로 일본어 번역 투라고 볼 수는 없다. 그러나 남용하지 말고 의미에 맞게 쓰는 것이 좋다.**
➡ 권지수 교육학 논술 모의고사에서 나타난 약점을 파악해 부족한 부분을 보강하면 이번 임용시험에 합격할 수 있을 것이다.

⑦ 이번 임용시험에서 합격한 것은 기적에 다름 아니다.
↳ **'~에 다름 아니다'는 일본식 표현이며, 불필요하게 말을 늘어뜨린다.**
➡ 이번 임용시험에서 합격한 것은 기적이다.

⑧ 이번에 교원 임용시험 제도를 개선한 한국교육과정평가원이 올해 치르게 될 예비 수험생을 대상으로 모의 교육학 논술 시험을 실시한 결과 대부분의 수험생이 문장 표현력과 논리력에 문제가 있는 것으로 나타났다.
↳ **'올해 시험을 치르게 될'은 '예비 수험생'에 이미 포함되므로 전체 문맥상 불필요하다.**
➡ 이번에 교원 임용시험 제도를 개선한 한국교육과정평가원이 예비 수험생을 대상으로 모의 교육학 논술 시험을 실시한 결과 대부분의 수험생이 문장 표현력과 논리력에 문제가 있는 것으로 나타났다.

⑨ 타일러는 10년간 연구를 행한 끝에 교육과정 설계 모형을 창안할 수 있었다.
↳ **'~행하다', '~갖는다'는 번역 투의 말이므로 쓰지 않는 것이 좋다. 예를 들어, '피의자 조사를 행하고' → '피의자를 조사하고', '뇌물 사건의 재판이 행해진 뒤에' → '뇌물 사건의 재판이 끝난 뒤에', '정상회담을 가진 자리에서' → '정상회담의 자리에서'/'정상회담을 연 자리에서', '졸업식을 갖기로 했다 → 졸업식을 하기로 했다' 등으로 바꾸어 써야 한다.**
➡ 타일러는 10년간 연구한 끝에 교육과정 설계 모형을 창안할 수 있었다.

MEMO

02

⑩ 남측과 북측은 서로의 주장이 달라 팽팽한 신경전만 이어졌다.
↳ '서로의', '~와(과)의', '~에의', '~에로의', '~에게서', '~으로의', '~에서의', '~으로서의', '~(으)로부터의' 등과 같은 말은 대부분 불필요한 군더더기이다. 생략하거나 다른 말로 바꾸어야 한다. 예를 들어, '교육학 강의에의 기대로 → 교육학 강의에 대한 기대로', '교사 출신인 부모와의 사이에 2남 2녀 중 막내로 → 교사 출신인 부모의 사이에 2남 2녀 중 막내로', '도시에서의 비둘기 → 도시의 비둘기', '수험가로부터의 요청이 → 수험가의 요청이' 등으로 바꾸어 써야 한다.
➡ 남측과 북측은 서로 주장이 달라 팽팽한 신경전만 이어졌다.

⑪ 권지수 교육학 강의는 수험생들의 열렬한 요구에 의해 개설되었다.
↳ '~에 의해(의하여)', '~에 의하면'은 번역 투의 말이므로 남용하지 않도록 한다.
➡ 권지수 교육학 강의는 수험생들의 열렬한 요구로 개설되었다.

⑫ 임용 합격 소식을 엄마로부터 들었다.
↳ '~로부터'는 번역 투의 말이므로 남용하지 않도록 한다.
➡ 임용 합격 소식을 엄마에게서 들었다.

⑬ 이것은 편파 보도라 아니할 수 없다.
↳ 이중 부정을 피해야 한다. 예를 들어, '~하지 않을 수 없다 → ~해야 한다.', '이런 기회는 다시 있을 것 같지 않다 → 이런 기회는 다시 없을 것이다.' 등으로 바꿀 수 있다.
➡ 이것은 편파 보도이다.

⑭ 집중이수제의 확대가 입시중심 교육을 유발할 가능성도 배제할 수 없다.
↳ 주어와 서술어의 호응에 어긋나고, '배제+없다'라는 이중 부정의 형태를 띤다.
➡ 집중이수제를 확대하면 입시중심 교육을 조장할 수 있다.

MEMO

2 불필요한 수식어 없애기

흔히 의미를 강조하기 위해 '아주', '상당히', '많은' 등의 수식어를 남발하는 경향이 있다. 수식어가 많으면 문장이 늘어지고 읽기가 불편해진다. 꼭 필요한 수식어만 남기고 나머지는 빼야 깔끔하고 부드러운 문장이 된다.

예시

① 선거가 가까이 다가오자 후보들은 공약(空約)이 되기 십상인, 인기 영합적인, 단편적인 표몰이 시책을 되는 대로 마구 쏟아 내고 있다.

↳ **'가까이', '되는 대로'는 불필요한 수식어이다. '표몰이 시책'을 꾸며 주는 수식어인 '십상인', '인기 영합적인'은 서술성을 살려 나열하면 부드러운 표현이 된다.**

➡ 선거가 다가오자 후보들은 공약(空約)이 되기 십상이고, 인기 영합적이며, 단편적인 표몰이 시책을 마구 쏟아 내고 있다.

➡ 선거가 다가오자 후보들은 표몰이 시책을 마구 쏟아 내고 있다. 이러한 시책은 공약(空約)이 되기 십상이고, 인기 영합적이며, 단편적이다.

② 향후 스마트폰 시장은 가격 경쟁력이 워낙 뛰어난 중국이 압도적으로 유리할 수밖에 없다.

↳ **뜻을 강조하기 위해 '워낙', '압도적으로'를 넣었지만 불필요한 수식어로, 객관성이 있다고 보기도 어렵다.**

➡ 향후 스마트폰 시장은 가격 경쟁력이 뛰어난 중국이 유리할 수밖에 없다.

➡ 향후 스마트폰 시장은 가격 경쟁력이 앞선 중국이 유리할 수밖에 없다.

③ 현재처럼 반도체 가격이 아주 불안정한 상황에서 다른 파트너를 찾으려면 시간이 많이 걸리고 여러 가지 어려움도 많기 때문에 기존 업체와의 제휴 협상에 가능한 한 최선을 다하고 있다.

↳ **'아주', '여러 가지', '가능한 한' 등 불필요한 수식어의 남용으로 읽기에 불편하고, 복잡해서 무슨 말인지 쉽게 와 닿지 않는다.**

➡ 현재처럼 반도체 가격이 불안정한 상황에서 다른 파트너를 찾으려면 시간이 많이 걸리고 어려움도 많기 때문에 기존 업체와의 제휴 협상에 최선을 다하고 있다.

MEMO

02

3 이해하기 쉽게 쓰기

자신의 주장을 명확하게 전달하려면 누구나 이해할 수 있게 쉬운 말로 간결하게 써야 한다. 일상에서 쓰는 쉬운 말로 간결하게 써야 부드럽고 자연스런 글이 된다.

예시

① 의회가 국민의 의사를 결정하는 과정에서 공개된 장소에서 신중하게 토론을 반복함으로써 일반 국민들의 정치적 판단을 용이하게 만든다. 또한 다수결 원리는 단순한 수적 우위를 확인하는 절차가 아니라 오히려 다수의 의견과 소수의 의견을 똑같이 존중하여 의회의 심의과정에 반영케 함으로써 상대적 진리를 발견하기 위한 자기 제한을 전제한 제도이다.

↳ **문장이 너무 길고 어렵게 써서 무슨 말인지 이해하기 어렵다. 말을 늘이기 위해 '~함으로써', '~이 아니라'로 연결하여 표현하고, 단어와 표현도 '용이하게 만든다', '자기 제한을 전제한 제도이다'와 같이 어렵게 느껴져 말뜻을 이해하기 쉽지 않다. 문장도 매우 길다. 위 문장에서 핵심어는 '의회'와 '다수결 원리'이다. 그런데 '의회'와 '다수결 원리'에 관한 많은 생각을 각각 한 문장씩 길게 늘려 써서 두 문장으로 끝내고 있다. 그러다 보니 한 문장에 복잡한 생각이 함께 들어가게 되어 뜻이 명확하게 전달되지 않는다. 하나의 문장에는 하나의 생각만 담아 쓰도록 한다.**

➡ 의회는 신중한 토론을 거쳐 국가의사를 결정한다. 이러한 의사과정을 공개함으로써 국민의 정치적 판단에 도움을 준다. 다수결 원리는 단순히 수적 우위를 확인하는 것이 아니다. 의회의 심의 과정에서는 다수자와 소수자 의견을 똑같이 존중하여야 한다. 다수결 원리는 상대적 진리를 발견하기 위한 것으로서 다수자의 자기 제한을 전제로 하는 원리이다.

② 미국 어린이는 영어에 들어 있는 어법을 배워 미국 사회의 특징적인 인간관계의 평등적 경험을 한다.

↳ **'영어에 들어 있는 어법'은 '영어의 어법'이다. '특징적인 인간관계의 평등적 경험'은 수식어와 피수식어의 관계가 바르지 못해 무슨 말인지 쉽게 와 닿지 않는다.**

➡ 미국 어린이는 영어의 어법을 배운다. 이를 통해 미국 사회의 특징인 평등한 인간관계를 경험한다.

③ 우리가 매일같이 마시는 물이나 공기의 소중함을 제대로 인식하지 못하고 있듯이 우리는 가정의 소중함을 마음에 깊이 새기지 못하고 살아가는 경우가 종종 있다.

↳ **'제대로 인식하지 못하고 있듯이'는 '모른다'는 의미이며, '마음에 깊이 새기지 못하고 살아가는'은 '잊고 사는'의 의미이다. 쉬운 뜻을 너무 어렵게 표현하려고 한 것이다.**

➡ 우리가 매일같이 마시는 물이나 공기의 소중함을 모르듯이 우리는 가정의 소중함을 잊고 사는 경우가 종종 있다(우리는 가정의 소중함을 종종 잊고 살아간다).

MEMO

④ 불확실성이 지배하는 상황에서 기업들이 마음 놓고 투자하기는 어렵다.

↳ **'불확실성이 지배하는 상황'은 '불확실한 상황'으로 간결하게 쓸 수 있다. 굳이 복잡하게 관형절을 안은 문장으로 표현할 필요가 없다. 관형어로 표현해도 충분하기 때문이다.**

➡ 불확실한 상황에서 기업들이 마음 놓고 투자하기는 어렵다.

⑤ 욕망의 상품화라는 필연성과 여성에 대한 처절한 폭력을 근절한다는 가능성의 관계에서 상대적으로 열세에 있는 이러한 가능성을 현실화할 수 있도록 하는 것은 우리의 절제와 감춰진 용기밖에 없다.

↳ **한 문장으로 된 긴 문장으로 표현하고 있으며, 전제적인 의미도 명료하지 않다. 상당히 현학적인 글로만 보일 뿐 의미 전달에는 실패하고 있다. 일상에서 쓰는 쉬운 말로 간결하게 써야 부드럽고 자연스런 글이 된다.**

➡ 성의 상품화라는 필연성에 비해 여성에 대한 처절한 폭력을 근절하려는 노력은 부족하다. 이러한 폭력을 근절하기 위해서는 우리의 절제와 감춰진 용기가 필요하다.

⑥ 한국의 출입국관리법은 아직까지 남편이 외국인이라는 이유만으로 노동할 권리를 박탈함으로써 안정적으로 가정을 유지할 수 있는 최소한의 권리마저 보장하지 않고 있다.

↳ **쉬운 말로 구체적이면서 단순하게 써야 이해하기 쉽다.**

➡ 한국의 출입국관리법은 아직까지 남편이 외국인이라는 이유만으로 취업을 못하게 함으로써 안정적으로 가정을 유지할 수 없게 하고 있다.

4 문장은 짧게 나누어 쓰기

하나의 문장에는 하나의 생각을 담는 것이 글쓰기의 원칙이다. 한 문장에 여러 생각을 담으면 의미 전달력이 떨어지고 독자도 쉽게 이해할 수 없게 된다. 흔히 문장이 길면 길수록 여러 생각이 담기게 되고, 논리적 오류도 나타난다. 글을 읽기 쉽게 쓰려면 문장을 짧게 나누어 써야 한다. 그러면 의미를 분명하고 효율적으로 전달할 수 있다. 그렇다고 모든 문장을 무조건 짧게 나누어 쓰는 것도 옳지 않다. 글 전체가 단조롭고 무미건조한 느낌을 주기 때문이다. 가장 좋은 글은 적당한 변화를 주어 리듬감 있게 쓰는 것이다. 그렇지만 글쓰기가 익숙하지 않거나 초보자일 경우 가능하면 짧게 쓰려고 노력하는 것이 중요하다.

MEMO

02

예시

① 많은 교원임용 수험생이 강의와 교재 선택이 얼마나 중요한지 깨닫지 못하고 소위 인기나 수강생 수를 중시해 교육학 논술 강의를 선택하는 경향이 짙으며, 특히 최근에는 교육학을 논술로 치른다는 인식이 분명해 지고 있어 강의에 대한 선호도가 뚜렷해지고 있지만, 자신에게 맞지 않는 강의를 선택해 강의를 듣고 있는 수험생들의 경우 교육학 논술 공부에 어려움을 느끼고 방황하는 사례가 많다.

↳ **매우 긴 내용을 한 문장으로 썼다. 문장이 길다 보니 의미 전달이 어렵고 뜻도 명료하지 않다. 적당히 끊어서 생각을 전달하는 것이 바람직하다. 또, 군더더기를 빼고 깔끔하고 간결하게 써야 한다. 또, '맞지 않는'은 현재의 의미를 나타내므로, 과거의 의미를 나타내는 '맞지 않은'으로 바꾸어 써야 한다.**

➡ 많은 교원임용 수험생이 강의와 교재 선택이 얼마나 중요한지 깨닫지 못하고 있다. 소위 인기나 수강생 수를 중시해 교육학 논술 강의를 선택하는 경향이 짙다. 특히 최근에는 교육학을 논술로 치른다는 점을 분명히 인식하고 있어 강의 선호도가 뚜렷해지고 있다. 하지만 자신에게 맞지 않은 강의를 선택한 수험생들의 경우 교육학 논술 공부에 어려움을 느끼고 방황하는 사례가 많다.

'않은'과 '않는'의 차이

'않다'는 동사나 형용사 뒤에서 '-지 않다' 구성의 보조용언으로 쓰인다. '-지 않다'가 동사 뒤에 쓰이면 보조동사이고, 형용사 뒤에 쓰이면 보조형용사이다.

동사 뒤에 '않다'가 오면, '않은', '않는' 모두 가능하다. 과거의 사실을 서술하는 경우에는 '-은'을 붙여 쓰고, 현재의 사실을 서술하는 경우에는 '-는'을 붙여 쓴다. (예 동사 '맞다', '먹다' : '맞지 않은, 먹지 않은' → 과거의 의미 / '맞지 않는, 먹지 않는' → 현재의 의미)

형용사 뒤에 '않다'가 오면, '않은'만 가능하다. (예 형용사 '옳다', '알맞다', '걸맞다', '바르다', '올바르다' : '옳지 않은, 알맞지 않은, 걸맞지 않은, 바르지 않은, 올바르지 않은')

---

② 청계산 지키기 시민운동본부 등이 이 같은 반대에 앞장서고 있지만 이들이 정작 늘어나는 묘지로 인해 전국의 많은 산이 훼손되고 있는 것에는 무심한 것을 보면 산을 지키겠다는 명분보다 단지 전형적인 '님비(Not In My Backyard)'현상으로 이해될 뿐이다. (중앙일보 사설, 2007. 4. 14.)

➡ 청계산 지키기 시민운동본부 등이 이 같은 반대에 앞장서고 있지만 이들은 정작 늘어나는 묘지로 인해 전국의 많은 산이 훼손되고 있는 것에 무관심하다. 이런 점을 보면 이들의 행태는 산을 지키겠다는 명분보다 전형적인 님비현상으로 이해될 뿐이다.

---

③ 현대중공업은 적지 않은 손해를 감수한 결정이지만 이번 작업 중단을 안전관리 시스템을 획기적으로 개선하는 기회로 삼는다면 '죽음의 공장' 오명에서 벗어나 돈으로 따질 수 없는 무형의 큰 이익을 가져다줄 것이다. (경향신문 사설, 2016. 4. 20.)

➡ 현대중공업은 적지 않은 손해를 감수한 결정이지만 이번 작업 중단을 안전관리 시스템을 획기적으로 개선하는 기회로 삼아야 한다. 그러면 '죽음의 공장' 오명에서 벗어나 돈으로 따질 수 없는 무형의 큰 이익을 얻을 수 있을 것이다.

MEMO

④ 이러한 정부 및 전문가들의 노력에도 산사태는 정확한 예측이 힘들고 발생지역도 광범위하며, 집중호우 시 필연적으로 발생하므로 항구적인 피해 예방 대책이 필요한데, 문제 해결에 있어 구조적 대책도 중요하지만 비용 문제가 수반되므로 그 특성상 비구조적 대책이 효율적일 수 있다. (경향신문, 2016. 4. 18.)

➡ 이러한 정부 및 전문가들의 노력에도 불구하고 산사태는 정확한 예측이 힘들고 발생지역도 광범위하며, 집중호우 시 필연적으로 발생한다. 그러므로 항구적인 피해 예방 대책이 필요한데, 비용이 많이 드는 구조적 대책보다는 비용을 절감할 수 있는 비구조적 대책이 효율적일 수 있다.

⑤ 정보 서비스 · 전자상거래 · 홈뱅킹 등 수용자의 다양한 정보 욕구를 충족시켜 줄 쌍방향 데이터 서비스를 앞당기기 위해서는 방송 · 통신 융합에 따른 데이터 서비스 개념을 정립하고 새로운 제도적 기반을 마련해야 하며, 기술 개발 및 표준형 수신기의 생산 산업화를 조속히 이루어야 한다.

➡ 쌍방향 데이터 서비스는 정보 서비스 · 전자상거래 · 홈뱅킹 등 수용자의 다양한 정보 욕구를 충족시켜 준다. 이런 서비스를 앞당기려면 방송 · 통신 융합에 따른 데이터 서비스 개념을 정립하고 새로운 제도적 기반을 마련해야 하며, 기술 개발 및 표준형 수신기의 생산 산업화를 조속히 이루어야 한다.

Memo

권지수의 탁월한 만점전략

합격하는
교육학
논술 작성법

교육학 논술의 출제 경향 분석

Chapter 01

교육학 논술 출제 경향 분석

연도	전체 주제	출제 논점(소주제)	출제 영역	논술 유형
2013학년도 (중등 특수) [2013. 5. 25.]	IQ의 해석 ↓ 학습동기	IQ의 해석 [3점]	교육심리학	[대화문] • 설명형 • 관점 제시형 • 실질적 제시문
		기대×가치이론(학습동기 상실 원인/해결방안) [6점]	교육심리학	
		욕구위계이론(학습동기 상실 원인/해결방안) [6점]	교육심리학	
2014학년도 [2013. 12. 7.]	학습동기 유발 ↓ (수업 참여 촉진)	잠재적 교육과정(진단 : 수업 소극적 참여) [3점]	교육과정	[대화문] • 설명형 • 관점 제시형 • 실질적 제시문 • 형식적 제시문
		문화실조(진단 : 수업 소극적 참여) [3점]	교육사회학	
		협동학습 실행(학습동기 유발방안) [3점]	교육방법론	
		형성평가 활용(학습동기 유발방안) [3점]	교육평가	
		교사지도성 행동(학습동기 유발방안) [3점]	교육행정학	
2014학년도 (상반기 추시) [2014. 6. 28.]	학생의 학교생활 적응 향상 및 교사의 수업 효과성 증진 ↓ (학교생활 적응)	차별접촉이론/낙인이론(원인 : 학교 부적응) [3점]	교육사회학	[성찰 일지] • 설명형 • 관점 제시형 • 관점 추론형 • 실질적 제시문 • 형식적 제시문
		행동주의 상담기법(학교생활 적응 향상) [3점]	생활지도와 상담	
		인간중심 상담기법(학교생활 적응 향상) [3점]	생활지도와 상담	
		발견학습(학문중심 교육과정에 근거한 전략) [3점]	교육방법론	
		장학 활동(교사 전문성 개발) [3점]	교육행정학	
2015학년도 [2014. 12. 6.]	교육개념에 충실한 자유교육의 이상 실현	자유교육 관점에서 교육 목적(내재적 목적) [4점]	교육철학	[워크숍] • 논증형/설명형 • 관점 제시형 • 관점 추론형 • 실질적 제시문 • 형식적 제시문
		백워드 교육과정 설계(특징) [4점]	교육과정	
		Keller의 ARCS(학습동기 향상-과제 제시 방안) [4점]	교육방법론	
		Senge의 학습조직(학습조직 구축 원리) [4점]	교육행정학	
2015학년도 (상반기 추시) [2015. 6. 27.]	교사의 과제 (학교 및 수업에 대한 이해)	학교교육의 선발·배치 기능/한계(기능론 관점) [4점]	교육사회학	[학교장 특강] • 설명형 • 관점 제시형 • 관점 추론형 • 형식적 제시문
		관료제 및 이완결합체제(특징) [4점]	교육행정학	
		ADDIE 모형(분석 및 설계의 주요 활동) [4점]	교육방법론	
		준거지향평가(개념 및 장점) [3점]	교육평가	
2016학년도 [2015. 12. 5.]	교사의 역량 (교과·생활지도·조직활동)	경험중심 교육과정(장점 및 문제점) [4점]	교육과정	[자기계발계획서] • 설명형 • 관점 추론형 • 형식적 제시문
		형성평가(기능 및 시행 전략) [4점]	교육평가	
		에릭슨(심리적 유예기)/반두라(관찰학습) (개념) [3점]	교육심리학	
		비공식 조직(순기능 및 역기능) [4점]	교육행정학	

<table>
<tr><td rowspan="4">2017학년도
[2016. 12. 3.]</td><td rowspan="4">2015 개정
교육과정의
실질적 구현</td><td>교육기획(개념과 효용성) [4점]</td><td>교육행정학</td><td rowspan="4">[신문 기사]
• 논증형 / 설명형
• 관점 추론형
• 실질적 제시문
• 형식적 제시문</td></tr>
<tr><td>내용조직의 원리(통합성+2가지) [4점]</td><td>교육과정</td></tr>
<tr><td>조나센의 구성주의 학습환경 설계(학습지원 도구・자원과 교수활동) [4점]</td><td>교육방법론</td></tr>
<tr><td>타당도의 유형과 개념(내용 타당도) [3점]</td><td>교육평가</td></tr>
<tr><td rowspan="4">2018학년도
[2017. 11. 25.]</td><td rowspan="4">학생의
다양한 특성을
고려한 교육</td><td>워커 모형(명칭과 교육과정 개발에 적용 이유) [4점]</td><td>교육과정</td><td rowspan="4">[대화문]
• 설명형
• 관점 추론형
• 실질적 제시문
• 형식적 제시문</td></tr>
<tr><td>문제중심학습(학습자 역할, 문제 특성과 학습효과) [4점]</td><td>교육방법론</td></tr>
<tr><td>평가유형(준거지향・개인차 해석, 능력지향・성장지향) [4점]</td><td>교육평가</td></tr>
<tr><td>동료장학(명칭과 개념, 활성화 방안) [3점]</td><td>교육행정</td></tr>
<tr><td rowspan="4">2019학년도
[2018. 11. 24.]</td><td rowspan="4">수업 개선을 위한
교사의
반성적 실천</td><td>다중지능이론(명칭과 개념, 개발과제와 그 이유) [4점]</td><td>교육심리학</td><td rowspan="4">[성찰 일지]
• 설명형
• 관점 추론형
• 실질적 제시문
• 형식적 제시문</td></tr>
<tr><td>경험선정의 원리(기회・만족 원리)/잠재적 교육과정(개념, 결과 예시) [4점]</td><td>교육과정</td></tr>
<tr><td>척도법(리커트 척도)/문항내적 합치도(신뢰도 추정방법의 명칭과 개념) [4점]</td><td>교육평가</td></tr>
<tr><td>변혁적 지도성(명칭, 신장 방안) [3점]</td><td>교육행정</td></tr>
<tr><td rowspan="4">2020학년도
[2019. 11. 23.]</td><td rowspan="4">토의식 수업
활성화 방안</td><td>비고츠키 이론(지식론 명칭과 지식의 성격, 교사와 학생의 역할) [4점]</td><td>교육심리학</td><td rowspan="4">[교사협의회]
• 설명형
• 관점 추론형
• 관점 제시형
• 실질적 제시문
• 형식적 제시문</td></tr>
<tr><td>영 교육과정(영 교육과정 시사점)/중핵 교육과정(교육내용 조직방식의 명칭, 이 방식이 토의식 수업에서 가지는 장점과 단점) [4점]</td><td>교육과정</td></tr>
<tr><td>정착수업(정착수업의 원리)/위키 활용 시 문제점 [4점]</td><td>교육방법</td></tr>
<tr><td>스타인호프와 오웬스의 학교문화 유형(명칭, 개선방안) [3점]</td><td>교육행정</td></tr>
<tr><td rowspan="4">2021학년도
[2020. 11. 21.]</td><td rowspan="4">학생의 선택과
결정의 기회를
확대하는 교육</td><td>교육과정 운영 관점(충실도 관점의 장단점, 생성 관점의 운영방안) [4점]</td><td>교육과정</td><td rowspan="4">[이메일]
• 설명형
• 관점 추론형
• 관점 제시형
• 실질적 제시문
• 형식적 제시문</td></tr>
<tr><td>자기평가(교육적 효과, 실행 방안) [4점]</td><td>교육평가</td></tr>
<tr><td>온라인 수업(학생 특성과 학습 환경의 예, 토론게시판을 활용한 학생 지원 방안) [4점]</td><td>교육방법</td></tr>
<tr><td>의사결정 모형(명칭, 개선방안) [3점]</td><td>교육행정</td></tr>
<tr><td rowspan="4">2022학년도
[2021. 11. 27.]</td><td rowspan="4">학교 내 교사 간
활발한 정보
공유를 통한
교육의 내실화</td><td>교육과정(수직적 연계성, 교과내 교육과정 재구성) [4점]</td><td>교육과정</td><td rowspan="4">[학교 자체 특강]
• 설명형
• 관점 추론형
• 관점 제시형
• 실질적 제시문
• 형식적 제시문</td></tr>
<tr><td>교육평가(총평관에서 진단검사, 평가결과 해석기준) [4점]</td><td>교육평가</td></tr>
<tr><td>교수전략(딕과 캐리 모형의 교수전략, 온라인 수업에서 고립감 해소를 위한 교수・학습활동 및 테크놀로지) [4점]</td><td>교육방법</td></tr>
<tr><td>교원연수(학교중심연수 종류, 활성화 지원방안) [3점]</td><td>교육행정</td></tr>
<tr><td rowspan="4">2023학년도
[2022. 11. 26.]</td><td rowspan="4">학생, 학부모,
교사의 의견을
반영한
학교 교육 개선</td><td>교육심리(자기효능감, 자기조절학습) [4점]</td><td>교육심리</td><td rowspan="4">[학교 운영 자체 평가 보고서]
• 설명형
• 관점 추론형
• 관점 제시형
• 실질적 제시문
• 형식적 제시문</td></tr>
<tr><td>교육평가(형성평가 활용방안, 내용타당도) [4점]</td><td>교육평가</td></tr>
<tr><td>교육과정(경험중심 교육과정, 학문중심 교육과정) [4점]</td><td>교육과정</td></tr>
<tr><td>관료제(순기능, 역기능) [3점]</td><td>교육행정</td></tr>
</table>

2024학년도 [2023. 11. 25.]	학습자 맞춤형 교육 지원을 위한 교사의 역량	교육과정(잠재적 교육과정) [3점]	교육과정	[신임교사와 교육전문가 대담] • 설명형 • 관점 추론형 • 관점 제시형 • 실질적 제시문 • 형식적 제시문
		교육방법(온라인 수업 상호작용) [4점]	교육방법	
		교육평가(능력참조평가, CAT 검사) [4점]	교육평가	
		학교운영위원회(구성위원 3주체, 그 구성의 의의, 위원으로 학생 참여의 순기능과 역기능) [4점]	교육행정	
2025학년도 [2024. 11. 23.]	변화하는 환경에서 교육의 기본에 충실한 교사	교육과정(타일러 목표중심모형) [4점]	교육과정	[경력교사와 신임교사의 대화] • 설명형 • 관점 제시형 • 실질적 제시문 • 형식적 제시문
		교육방법(조나센 구성주의 학습환경) [4점]	교육방법	
		교육평가(준거참조평가, 교육평가 기본 가정) [4점]	교육평가	
		교육행정(카츠 리더십 이론) [3점]	교육행정	

✐ 교육학 논술(20점) = 내용 영역(15점), 체계 영역(5점)

Chapter 02

교육학 내용 영역별 출제 경향 분석

연도 \ 영역	교육과정	교육심리	교육방법	교육평가	생활지도	교육행정	교육사회	교육사 철학
2013학년도 (중등 특수)		IQ해석, 기대가치이론, 욕구위계이론						
2014학년도	잠재적 cur.		협동학습	형성평가		상황적 지도성	문화실조	
2014학년도 (상반기)			발견학습		상담기법 (행동주의, 인간중심)	장학활동	차별접촉이론, 낙인이론	
2015학년도	백워드설계		ARCS			학습조직		교육목적 (자유교육)
2015학년도 (상반기)			ADDIE	준거참조평가		관료제, 이완결합체제	기능론 (선발・배치 기능/한계)	
2016학년도	경험중심 cur.	에릭슨, 반두라		형성평가		비공식조직		
2017학년도	내용조직 원리		조나센	내용타당도		교육기획		
2018학년도	워커 모형		PBL	준거참조평가, 자기참조평가		동료장학		
2019학년도	경험선정원리, 잠재적 cur.	다중지능이론		리커트 척도, 신뢰도 추정방법		변혁적 지도성		
2020학년도	영 교육과정, 중핵교육과정	비고츠키이론	정착수업, 위키활용			스타인호프와 오웬스의 학교문화유형		
2021학년도	교육과정 운영 관점		온라인 수업	자기평가		의사결정 모형		
2022학년도	수직적 연계성, 교육과정 재구성		딕과 캐리 모형, 온라인 수업	총평관에서 진단검사, 평가결과 해석기준		학교중심 연수		
2023학년도	경험중심 cur. 학문중심 cur.	자기효능감, 자기조절학습		형성평가, 내용타당도		관료제		
2024학년도	잠재적 cur.		온라인 수업 상호작용	능력참조평가, CAT 검사		학교운영 위원회		
2025학년도	타일러 모형		조나센	준거참조평가, 평가 기본 가정		카츠 리더십		

권지수의 탁월한 만점전략

합격하는
교육학
논술 작성법

교육학 논술의 기출문제

2025~2021학년도 중등 교육학 논술
기출문제 및 모범답안

Chapter 01

2025학년도 중등 교육학 논술

다음은 ○○ 고등학교에서 경력 교사와 신임 교사가 나눈 대화의 일부이다. 이 내용을 읽고 '변화하는 환경에서 교육의 기본에 충실한 교사'라는 주제로 교육과정, 교육방법, 교육평가, 교육행정에 대한 내용을 구성 요소로 하여 서론, 본론, 결론을 갖추어 논하시오. [20점]

경력 교사 : 선생님, 교직 생활의 첫해를 보내면서 어려움은 없으셨나요? 특히, 교육과정을 재구성하면서 교육목표를 설정하는 데 어려움이 있었을 텐데요.

신임 교사 : 예. 다행히도 재구성의 방향을 찾을 수 있었습니다. 최근에는 사회적 요구와 학습자의 특성을 반영한 교육이 두드러져 보이더군요. 그래서 올해는 이 두 가지와 교과에 대한 저의 전문성을 바탕으로 교육목표를 설정하는 데 주력했습니다.

경력 교사 : 잘하셨네요. 그래도 제 의견을 말씀드리면, 선생님이 생각하는 사회적 요구, 학습자의 특성, 교과 전문가의 의견과 함께 교육철학과 학습심리학도 고려하면 앞으로 더 좋은 교육목표를 설정할 수 있을 겁니다.

신임 교사 : 예, 알겠습니다. 또한, 저는 수업 측면에서 학생의 주도적 역할을 강조하는 최근 경향에 따라 구성주의 학습환경을 조성하고자 하였습니다.

경력 교사 : 그러한 학습환경을 설계할 때 선생님께서는 어떤 점을 고려하셨나요?

신임 교사 : 저는 구성주의 학습환경을 설계하면서, 수업에서 어떤 문제를 다루어야 할지 생각했습니다. 또한, 학생이 잘하지 못하는 경우에는 제가 직접 시범을 보여 주기도 했으나, 학생 주도적인 학습환경이라는 측면에서 가급적 개입하지 않으려고 했습니다.

경력 교사 : 그러셨군요. 그런데 구성주의 학습환경에서는 그 환경에 적합한 특성을 갖춘 문제를 선정해야 하고, 그 문제가 전체 학습 과정에서 어떤 역할을 하는지 생각해야 합니다. 또한, 학습 과정에서 교사는 필요하다면 시범 이외에 다른 지원 활동도 해야 합니다.

신임 교사 : 좋은 제안 감사합니다. 그리고 변화된 평가 방식에 따라 지난 학기에 준거참조평가를 실시해 봤는데, 아직 저한테는 준거 설정 방법이 익숙하지 않은 것 같습니다.

경력 교사 : 아! 그러시군요. 준거참조평가에서는 성취수준을 구분하는 것이 중요한데, 준거 설정 방법이 쉽지만은 않지요. 하지만 점차 나아질 겁니다. 더불어 어떠한 평가 방식을 사용하더라도 교사는 교육평가의 기본 가정을 항상 염두에 두는 것이 중요하다고 생각합니다.

신임 교사 : 예, 알겠습니다. 그리고 최근에는 교사가 최신 디지털 기술도 잘 활용할 필요가 있어서, 저는 이런 것에 관심을 갖고 배우는 데 집중했습니다. 또한, 학급과 학교에 대한 전반적인 상황을 파악하기 위해 노력했습니다.

경력 교사 : 네. 그러한 기술적 능력과 상황 파악 능력도 중요하죠. 그리고 학교는 다양한 사람으로 구성된 조직이므로 이와 관련된 능력도 키운다면 선생님의 교직 생활이 점차 좋아질 것이라 기대합니다.

배 점

- **논술의 내용 [총 15점]**
  - 타일러(R. Tyler)의 교육목표 설정 근거(sources)를 바탕으로, 경력 교사가 언급한 '교육철학'을 교육목표 설정에 적용한 사례를 이유와 함께 1가지, 경력 교사가 언급한 '학습심리학'을 교육목표 설정에 적용한 사례를 이유와 함께 1가지 [4점]
  - 구성주의 학습환경을 조나센(D. Jonassen)의 모형에 따라 설계할 때, 경력 교사가 언급한 '문제'의 특성과 역할 각각 1가지, 모델링 이외의 교사의 지원 활동 사례 2가지 [4점]
  - 경력 교사가 언급한 준거참조평가에서 '준거 설정 방법' 1가지, 교육평가의 기본 가정 3가지 [4점]
  - 카츠(R. Katz)의 리더십 이론에 근거하여, 경력 교사가 언급한 '이와 관련된 능력'의 명칭과, 동료 교사와 관련한 이 능력의 구체적 실천 사례 2가지 [3점]
- **논술의 구성 및 표현 [총 5점]**
  - 논술의 내용과 '변화하는 환경에서 교육의 기본에 충실한 교사'의 연계 및 논리적 형식 [3점]
  - 표현의 적절성 [2점]

01 논제 파악

1 도해조직자(graphic organizer)

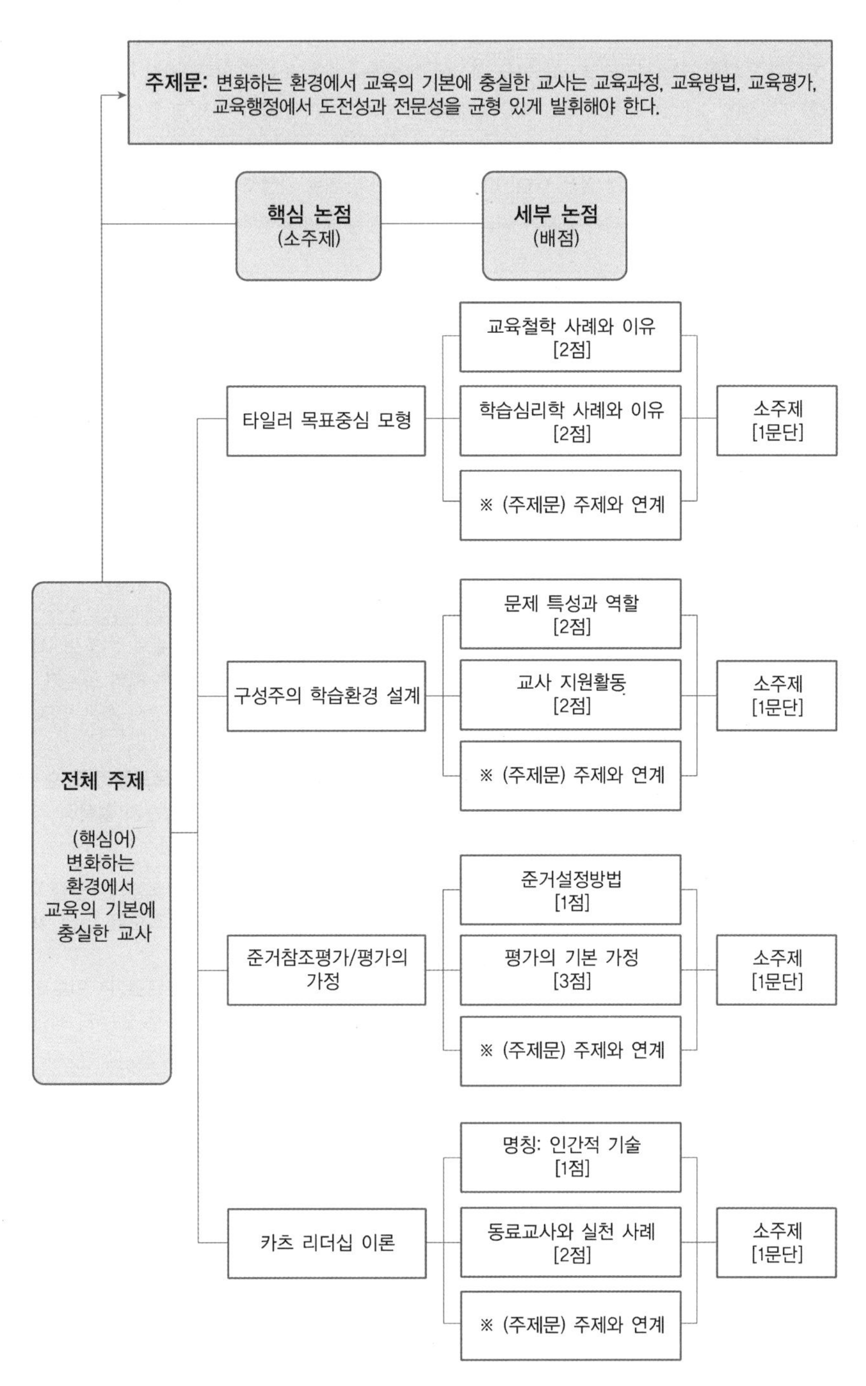

2 배점 분석('내용 영역')

배 점

• **논술의 내용 [총 15점]**

– 타일러(R. Tyler)의 교육목표 설정 근거(sources)를 바탕으로, 경력 교사가 언급한 '교육철학'을 교육목표 설정에 적용한 사례를 이유와 함께 1가지, 경력 교사가 언급한 '학습심리학'을 교육목표 설정에 적용한 사례를 이유와 함께 1가지 [4점]

– 구성주의 학습환경을 조나센(D. Jonassen)의 모형에 따라 설계할 때, 경력 교사가 언급한 '문제'의 특성과 역할 각각 1가지, 모델링 이외의 교사의 지원 활동 사례 2가지 [4점]

– 경력 교사가 언급한 준거참조평가에서 '준거 설정 방법' 1가지, 교육평가의 기본 가정 3가지 [4점]

– 카츠(R. Katz)의 리더십 이론에 근거하여, 경력 교사가 언급한 '이와 관련된 능력'의 명칭과, 동료 교사와 관련한 이 능력의 구체적 실천 사례 2가지 [3점]

3 답안 구상

주제문 **변화하는 환경에서 교육의 기본에 충실한 교사는 교육과정, 교육방법, 교육평가, 교육행정에서 도전성과 전문성을 균형 있게 발휘해야 한다.**

전체 주제 (대주제)	핵심 논점 (소주제)	세부 논점 (배점)	중심 내용+설명/논증/(제시문 분석 · 적용)		배점	출제 영역
변화하는 환경에서 교육의 기본에 충실한 교사	타일러 모형에 근거하여, '교육철학'과 '학습심리학'을 교육목표 설정에 적용한 사례와 이유	① 교육철학 [2점]	교육적으로 추구할 만한 가치가 있는가	㉠ 사례: 학교는 학생에게 기존의 사회 질서에 잘 적응하도록 해야 하는가, 아니면 사회를 개선하고자 하는 의지를 길러주어야 하는가 ㉡ 이유: 잠정적 교육목표들이 모순 없이 일관성을 갖고 있는지 철학적 가치를 따져야 하기 때문	4점	교육과정
		② 학습심리학 [2점]	학습자가 잠정적 목표를 달성할 수 있는가	㉠ 사례: 교육목표가 학생의 연령이나 학년을 고려해 교육적으로 달성 가능한 것인가 ㉡ 이유: 잠정적 교육목표가 의도적인 교육을 통해 달성될 수 있는지 적합성을 분별해야 하기 때문		
		※ 주제와의 연계	교육과정 측면에서는 기본에 충실한 교육과정 재구성이 요구된다.			

<table>
<tr><td rowspan="3">조나센
구성주의
학습환경 설계</td><td>① 문제의
특성과 역할
[2점]</td><td>㉠ 문제 특성
㉡ 역할</td><td>㉠ 문제 특성: 실제적, 복잡한, 비구조화, 맥락적 문제
㉡ 역할: 학생의 학습동기를 유발하고 다양한 전략적 사고를 요구</td><td rowspan="3">4점</td><td rowspan="3">교육방법</td></tr>
<tr><td>② 모델링 이외 교사의 지원 활동
[2점]</td><td>㉠ 코칭(coaching)
㉡ 스캐폴딩 (scaffolding)</td><td>㉠ 코칭은 학습자의 과제 수행 과정을 관찰하고 도와주는 것
㉡ 스캐폴딩은 학생이 과제 수행에 어려움을 겪을 때 자신의 능력 수준을 넘어서도록 발판을 제공하는 것</td></tr>
<tr><td>※ 주제와의 연계</td><td colspan="2">교수방법 측면에서는 최근 경향에 맞추어 구성주의 학습환경을 충실히 조성해야 한다.</td></tr>
<tr><td rowspan="3">준거참조평가 /
교육평가의
기본 가정</td><td>① 준거 설정 방법
[1점]</td><td>Angoff 방법</td><td>최소능력 보유 피험자들이 가상적으로 어느 정도 비율로 문항의 정답을 맞힐 수 있는가를 판정한 다음, 각 문항의 답을 맞힐 비율의 합을 준거점수로 설정하는 방법</td><td rowspan="3">4점</td><td rowspan="3">교육평가</td></tr>
<tr><td>② 평가의
기본 가정
[3점]</td><td>㉠ 인간의 잠재능력 개발 가능성
㉡ 계속성
㉢ 종합성
㉣ 자료의 다양성
㉤ 교육활동의 도움</td><td>㉠ 교육평가는 인간의 무한한 잠재능력의 개발 가능성을 전제
㉡ 교육평가는 계속적이어야
㉢ 교육평가는 종합적이어야
㉣ 교육평가의 자료는 다양
㉤ 교육평가는 교육활동에 도움</td></tr>
<tr><td>※ 주제와의 연계</td><td colspan="2">교육평가 측면에서는 변화된 평가 방식에 따라 적절한 평가를 실시하는 것도 중요하다.</td></tr>
<tr><td rowspan="3">카츠 리더십
이론</td><td>① 명칭
[1점]</td><td>다양한 사람들로 구성된 조직과 관련된 능력</td><td>인간적 기술 – 구성원들과 원활하게 소통하고 인화를 조성하고 협력적으로 일할 수 있는 능력</td><td rowspan="3">3점</td><td rowspan="3">교육행정</td></tr>
<tr><td>② 동료 교사와 관련한
실천 사례
[2점]</td><td>동료 교사와의 소통, 협력, 공유, 인화 등과 관련되는 활동 내용이라면 모두 정답</td><td>㉠ 전문적 학습공동체를 통해 교사들이 지식과 정보를 공유하고 협력적 학습을 실천하는 일
㉡ 동료 교사들과 정기적으로 교육목표를 공유하고 협력하면서 동료장학을 통해 동료관계를 증진하는 일
㉢ 동료 교사와 팀티칭을 통해 협력적 학습환경을 조성함
㉣ 동료 교사와의 갈등상황에서 중재자로서 역할을 수행하며 긍정적인 교육환경을 조성함 등</td></tr>
<tr><td>※ 주제와의 연계</td><td colspan="2">교육행정 측면에서 교사는 변화하는 환경에 맞추어 리더십을 발휘할 수 있어야 한다.</td></tr>
</table>

02 모범답안

서론

오늘날의 교육은 변화하는 사회적 환경으로 인해 교사들에게 더 높은 도전성과 전문성을 요구하고 있다. 이에 따라 교사는 변화하는 요구를 반영하면서도 교육의 기본 원칙에 충실해야 한다. 본 논의에서는 교육과정, 교육방법, 교육평가, 교육행정의 네 가지 요소를 중심으로 이러한 교사의 역할과 실천 방안을 논하고자 한다.

본론

교육과정 측면에서는 기본에 충실한 교육과정 재구성이 요구된다. 타일러(R. Tyler)에 따르면, 잠정적으로 추출된 교육목표는 교육철학과 학습심리학을 고려해 걸러야 한다고 한다. 첫째, 교육철학은 교육적으로 추구할 만한 가치가 있는가를 묻는다. 예를 들어, 학교는 학생에게 기존의 사회질서에 잘 적응하도록 해야 하는가, 아니면 사회를 개선하고자 하는 의지를 길러주어야 하는가이다. 그 이유는 잠정적 교육목표들이 모순 없이 일관성을 갖고 있는지 철학적 가치를 따져야 하기 때문이다. 둘째, 학습심리학은 학습자가 잠정적 목표를 달성할 수 있는가를 묻는다. 예를 들어, 교육목표가 학생의 연령이나 학년을 고려해 교육적으로 달성 가능한 것인가이다. 그 이유는 잠정적 교육목표가 의도적인 교육을 통해 달성될 수 있는지 적합성을 분별해야 하기 때문이다.

교수방법 측면에서는 최근 경향에 맞추어 구성주의 학습환경을 충실히 조성해야 한다. 조나센(D. Jonassen)의 모형에 따라 구성주의 학습환경을 설계할 때, 문제는 복잡하고 비구조화된 특성을 지녀야 한다. 이런 문제는 전체 학습과정에서 학생의 학습동기를 유발하고 다양한 전략적 사고를 요구하는 역할을 한다. 한편, 학습 과정에서 교사는 시범 이외에 코칭(coaching)과 스캐폴딩(scaffolding)을 지원해 주어야 한다. 첫째, 코칭은 학습자의 과제 수행 과정을 관찰하고 도와주는 것이다. 학생의 수행을 분석하여 피드백을 제공하고 반성적 사고를 유발한다. 둘째, 스캐폴딩은 학생이 과제 수행에 어려움을 겪을 때 자신의 능력 수준을 넘어서도록 발판을 제공하는 것이다.

교육평가 측면에서는 변화된 평가 방식에 따라 적절한 평가를 실시하는 것도 중요하다. 준거참조평가를 실시한다면 준거 설정이 중요하다. 준거 설정 방법에는 Angoff 방법이 있다. 이는 최소능력 보유 피험자들이 가상적으로 어느 정도 비율로 문항의 정답을 맞힐 수 있는가를 판정한 다음, 각 문항의 답을 맞힐 비율의 합을 준거 점수로 설정하는 방법이다. 한편, 교육평가의 기본 가정은 다음과 같다. 첫째, 교육평가는 인간의 무한한 잠재능력의 개발 가능성을 전제한다. 교육이 인간 발달의 가능성을 제한하면 교육평가의 기능은 극대화될 수 없다. 둘째, 교육평가는 일회적인 것이 아니라 계속적이어야 한다. 시험, 수업, 대화 등 언제나 모든 장면에서 평가가 이루어져야 한다. 셋째, 교육평가는 종합적이어야 한다. 평가대상의 모든 자료를 종합적으로 수집하여 평가하여야 한다.

교육행정 측면에서 교사는 변화하는 환경에 맞추어 리더십을 발휘할 수 있어야 한다. 카츠(R. Katz)의 리더십 이론에 따르면, 다양한 사람들로 구성된 조직과 관련된 능력은 인간적 기술 능력이다. 이는 구성원들과 원활하게 소통하고 인화를 조성하고 협력적으로 일할 수 있는 능력이다. 이 능력의 실천 사례로는 다음과 같다. 첫째, 전문적 학습공동체를 통해 교사들이 지식과 정보를 공유하고 협력적 학습을 실천하는 일이다. 둘째, 동료 교사들과 정기적으로 교육목표를 공유하고 협력하면서 동료장학을 통해 동료관계를 증진하는 일이다.

결론

변화하는 환경에서 교육의 기본에 충실한 교사는 교육과정, 교육방법, 교육평가, 교육행정에서 도전성과 전문성을 균형 있게 발휘해야 한다. 이를 통해 교사는 학습자 주도의 교육을 실현하고, 미래 사회에 기여하는 인재를 양성하는 데 기여할 수 있다. 교사의 지속적인 자기 성장과 교육철학에 대한 고민은 이런 실천의 핵심이 될 것이다.

Chapter 02

2024학년도 중등 교육학 논술

다음은 20○○학년도 중등신규임용교사 연수에서 신임 교사와 교육 전문가가 나눈 대담의 일부이다. 이 내용을 읽고 '학습자 맞춤형 교육 지원을 위한 교사의 역량'을 주제로 교육과정, 교수전략, 교육평가, 교육행정을 구성 요소로 하여 서론, 본론, 결론을 갖추어 논하시오. [20점]

… (상략) …

사 회 자 : 지금까지 세 분의 교육 전문가를 모시고 학습자 맞춤형 교육을 준비하는 학교 현장의 최근 동향과 정책을 들어 봤습니다. 이제, 선생님들께서 궁금한 점을 질문하시면 해당 교육 전문가께서 추가 설명을 해 주시겠습니다.

교 사 A : 제가 교육실습을 나갔던 학교는 학생의 신체 활동을 장려하기 위해 '1인 1운동 맞춤형 동아리'를 운영했어요. 그랬더니 의도치 않게 몇몇 학생은 교우 관계가 좋아져서 봉사활동까지 같이 하는 반면, 일부 학생은 너무 친해져서 자기들끼리만 어울리는 문제가 생겼어요. 이렇게 의도치 않게 생긴 현상은 교육과정 측면에서 어떻게 설명할 수 있을지 궁금했습니다.

… (중략) …

교 사 B : 강연 중에 교사의 온라인 수업 역량도 강조하셨는데, 온라인 수업을 위한 콘텐츠를 개발하거나 실제 온라인 수업을 운영할 때 교사가 특별히 더 신경 써야 할 점을 추가로 말씀해 주실 수 있을까요?

전문가 C : 네. 온라인 수업은 대면 수업보다 학습자가 상호작용을 하는 데 어려움이 많이 있지요. 따라서 온라인 수업에서 학습자가 할 수 있는 다양한 유형의 상호작용을 고려하여 콘텐츠를 개발하고 온라인 수업을 운영해야 학습 목표를 효과적으로 달성할 수 있을 것입니다.

교 사 D : 강연을 듣고 학습자 맞춤형 교육에서 평가가 중요하다는 것을 잘 이해할 수 있었습니다. 추가적으로, 학생의 능력 수준을 고려한 평가 유형과 검사 방법을 소개해 주실 수 있을까요?

전문가 E : 네. 예를 들어, 평가 유형으로는 능력참조평가를, 검사 방법으로는 컴퓨터 능력적응검사(Computer Adaptive Testing: CAT)를 고려해 볼 수 있습니다. 특히, 컴퓨터 능력적응검사는 단순히 컴퓨터를 이용하여 검사를 실시하고 채점하는 방법에서 더 발전된 특성이 있습니다. 교육 환경의 변화에 따라 학습자 맞춤형 교육이 강조되는 추세이므로 오늘 소개한 평가 유형과 검사 방법에 관심을 가지면 좋을 듯합니다.

교 사 F : 그렇다면, 학습자 맞춤형 교육의 구체적 내용을 학교 교육과정에 반영하려면 학교 내에서 어떠한 논의 과정을 거쳐야 하나요?

전문가 G : 여러 과정이 있습니다만, 학교 교육과정 운영 방법에 대해 법에서 규정한 대로 학교운영위원회의 심의나 자문을 거쳐야 합니다. 이를 위해서는 먼저 학생과 교사의 의견 수렴 과정을 거치는 것이 좋겠습니다.

… (하략) …

배 점

- **논술의 내용 [총 15점]**
  - 교사 A의 궁금한 점을 설명할 수 있는 교육과정 유형에 근거하여 학습 목표 설정, 교육 내용 구성, 학생 평가 계획 시 교사가 고려해야 할 점 각 1가지 [3점]
  - 전문가 C가 언급한 온라인 수업에서 학습자 상호작용의 어려운 점 1가지, 온라인 수업에서 학습자 상호작용의 유형 3가지와 유형별 서로 다른 기능 각 1가지 [4점]
  - 전문가 E가 학습자 맞춤형 교육을 위해 제시한 평가 유형의 적용과 결과 해석 시 유의점 2가지, 단순히 컴퓨터를 이용하는 검사 방법과 구별되는 컴퓨터 능력적응검사(Computer Adaptive Testing)의 특성 2가지 [4점]
  - 전문가 G가 언급한 학교운영위원회의 법적 구성 위원 3주체, 이러한 3주체 위원 구성의 의의 1가지, 위원으로 학생 참여의 순기능과 역기능 각 1가지 [4점]
- **논술의 구성 및 표현 [총 5점]**
  - 논술의 내용과 '학습자 맞춤형 교육 지원을 위한 교사의 역량'의 연계 및 논리적 형식 [3점]
  - 표현의 적절성 [2점]

01 논제 파악

1 도해조직자(graphic organizer)

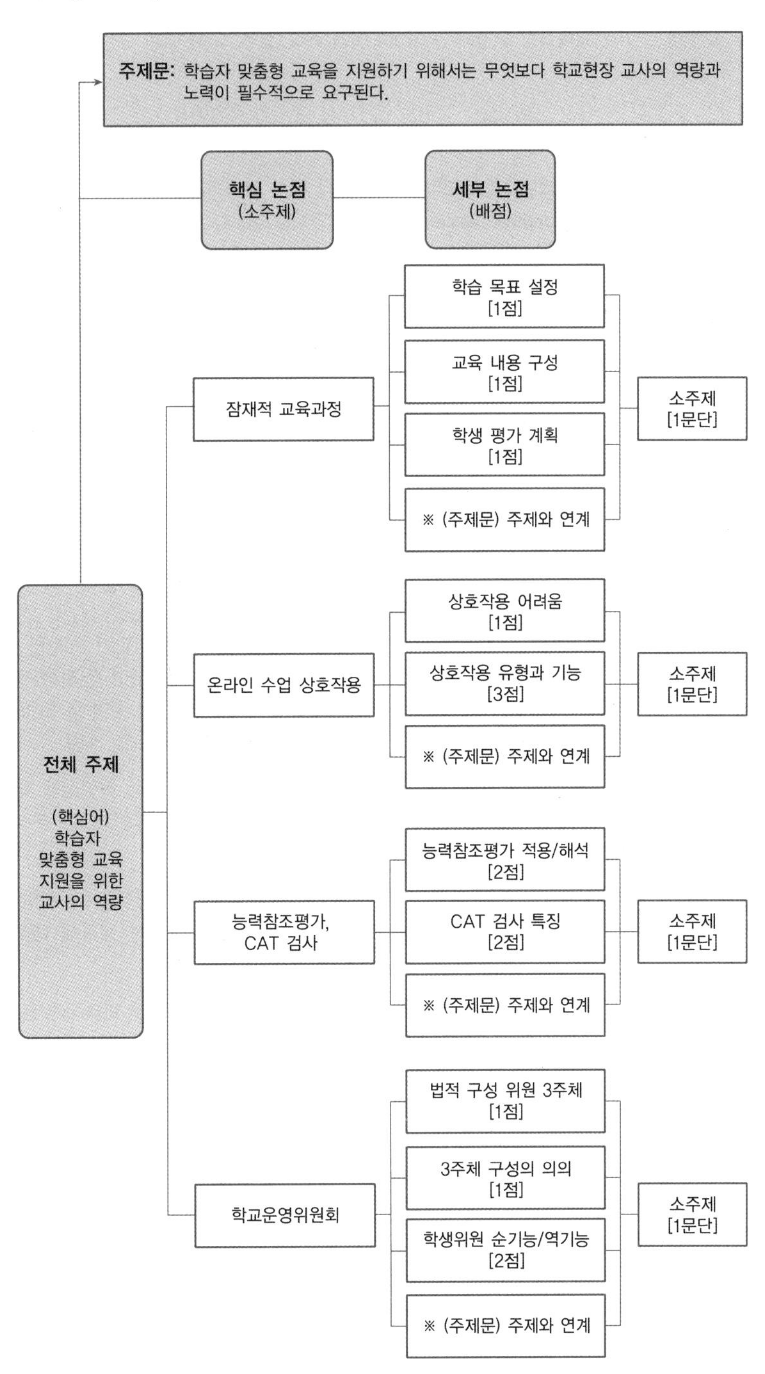

2 배점 분석('내용 영역')

배 점

- **논술의 내용 [총 15점]**

– 교사 A의 궁금한 점을 설명할 수 있는 교육과정 유형에 근거하여 학습 목표 설정, 교육 내용 구성, 학생 평가 계획 시 교사가 고려해야 할 점 각 1가지 [3점]

– 전문가 C가 언급한 온라인 수업에서 학습자 상호작용의 어려운 점 1가지, 온라인 수업에서 학습자 상호작용의 유형 3가지와 유형별 서로 다른 기능 각 1가지 [4점]

– 전문가 E가 학습자 맞춤형 교육을 위해 제시한 평가 유형의 적용과 결과 해석 시 유의점 2가지, 단순히 컴퓨터를 이용하는 검사 방법과 구별되는 컴퓨터 능력적응검사(Computer Adaptive Testing)의 특성 2가지 [4점]

– 전문가 G가 언급한 학교운영위원회의 법적 구성 위원 3주체, 이러한 3주체 위원 구성의 의의 1가지, 위원으로 학생 참여의 순기능과 역기능 각 1가지 [4점]

3 답안 구상

주제문 **학습자 맞춤형 교육을 지원하기 위해서는 무엇보다 학교현장 교사의 역량과 노력이 필수적으로 요구된다.**

전체 주제 (대주제)	핵심 논점 (소주제)	세부 논점 (배점)	중심 내용 + 설명/논증/(제시문 분석 · 적용)		배점	출제 영역
학습자 맞춤형 교육 지원을 위한 교사의 역량	잠재적 교육과정에 근거하여 교육과정 개발 시 고려할 점	① 학습 목표 설정 [1점]	다양한 관점	의도하지 않은 결과가 초래될 수 있다는 점을 인식하여 인지적 영역뿐만 아니라 정의적 측면 등 다양한 관점에서 학습 목표를 수립	3점	교육과정
		② 교육 내용 구성 [1점]	다각적인 분석	특정 교육 내용이 학생에게 어떠한 영향을 미칠지 다각도로 분석하여 신중하게 구성		
		③ 학생 평가 계획 [1점]	탈목표평가	탈목표평가의 관점을 수용하여 의도하지 않은 교육적 결과에 대해서도 종합적으로 평가		
		※ 주제와의 연계	학습자 맞춤형 교육을 지원하려면 교사에게 학습자 맞춤형 교육과정 개발 역량이 필요하다.			

<table>
<tr>
<td rowspan="3">온라인 수업
상호작용</td>
<td>① 상호작용의
어려운 점
[1점]</td>
<td>㉠ 지식, 정보, 활용능력 부족
㉡ 상호작용 수행 경험 부족
㉢ 실시간 온라인 학습에서 비언어적 상호작용이 제한적임
㉣ 비실시간 온라인 학습에서는 질문에 대한 응답에 많은 시간이 소요되고 즉각적인 상호작용이 어려움</td>
<td>㉠ 온라인상에서의 상호작용을 위한 활용도구 및 전략에 대한 정보가 부족하거나, 플랫폼, 앱 등의 테크놀로지에 대한 지식과 활용능력이 부족
㉡ 온라인 수업 상황에서 어떤 유형의 상호작용이 가능하고, 어떤 방식으로 상호작용 활동을 수행해야 하는지에 대한 경험이 거의 없기 때문에, 수업의 유형이나 학습상황 등을 고려한 상호작용 활동을 제대로 수행하고 있지 못하고 있는 것이 현실
㉢ 실시간 온라인 학습에서 학습자가 비디오 화면을 끄면 목소리만으로 학습자의 심리를 추측해야 하는 것처럼 제스처, 몸짓, 목소리 크기, 억양 등을 통한 비언어적 상호작용이 제한적으로 이루어짐
㉣ 비실시간 온라인 학습에서는 학습자의 질문에 교수자가 응답을 하는 데 많은 시간이 소요되고 즉각적인 상호작용이 어려운 점</td>
<td rowspan="3">4점</td>
<td rowspan="3">교육방법</td>
</tr>
<tr>
<td>② 온라인 수업 상호작용 유형과 그 기능
[3점]</td>
<td>㉠ 교수자와 학습자 간 상호작용 유형
㉡ 학습자와 학습자 간 상호작용 유형
㉢ 학습자와 내용 간 상호작용 유형</td>
<td>㉠ 수업내용에 대한 질의응답이나 피드백 제공 등을 통해 학습자의 학습이해력을 점검하고 교수자와 학습자 간의 심리적 거리를 줄이는 기능을 수행
㉡ 학습내용에 대한 의견교환, 토론수행, 협동학습 등을 학습자 공동으로 수행하면서 친밀감과 소속감을 높이고 협력적으로 지식을 구성하는 데 도움을 줌
㉢ 학습내용과 인지적 상호작용을 통해 학습내용을 이해하고 조직하고 정교화하며 고차적 사고를 촉진하는 데 도움을 줌</td>
</tr>
<tr>
<td>※ 주제와의 연계</td>
<td colspan="2">학습자 맞춤형 교육을 지원할 수 있는 교사의 교수전략 및 수업 역량이 요구된다.</td>
</tr>
</table>

<table>
<tr><td rowspan="7"></td><td rowspan="3">능력참조평가, CAT 검사</td><td>① 능력참조평가의 적용과 결과 해석 시 유의점 [2점]</td><td>㉠ 적용 유의점
㉡ 결과 해석 시 유의점</td><td>㉠ 학생의 능력에 대한 정확한 정보를 토대로 적용
㉡ 능력 이외 다른 요소들은 배제하고 개인의 능력 발휘 정도에만 초점을 두어 결과를 해석</td><td rowspan="3">4점</td><td rowspan="3">교육평가</td></tr>
<tr><td>② CAT 검사의 특성 [2점]</td><td>㉠ 특징1
㉡ 특징2</td><td>㉠ 모든 피험자에게 동일한 문항을 제시하는 것이 아니라 피험자의 능력 수준에 따라 각기 다른 문항을 제시 → 피험자의 능력을 정확하게 측정할 수 있음
㉡ 피험자 능력수준에 적합한 효율적이고 개별적인 검사 → 효율적인 검사를 실시할 수 있기 때문에 검사에 소요되는 시간을 단축, 측정 오차 줄임</td></tr>
<tr><td>※ 주제와의 연계</td><td colspan="2">교육과정 측면에서는 학교 교육과정 편성·운영의 만족도를 높이는 방향으로 학교 교육이 개선되어야 한다.</td></tr>
<tr><td rowspan="4">학교운영위원회</td><td>① 법적 구성 위원 3주체 [1점]</td><td>학부모, 교원, 지역사회 인사</td><td>학부모 위원, 교원 위원, 지역 위원</td><td rowspan="4">4점</td><td rowspan="4">교육행정</td></tr>
<tr><td>② 3주체 위원 구성의 의의 [1점]</td><td>민주성, 합리성, 자율성, 자치성, 책무성</td><td>학교운영에 관한 의사결정에 학부모, 교원, 지역사회 인사가 함께 참여함으로써 학교 의사결정의 민주성과 합리성을 증진하고, 학교의 자율성과 책무성을 강화</td></tr>
<tr><td>③ 위원으로 학생 참여의 순기능과 역기능 [2점]</td><td>㉠ 순기능
㉡ 역기능</td><td>㉠ 학생의 요구와 필요가 반영된 학생 중심의 학교 교육과정 운영이 가능하고, 학생의 소속감과 주인의식, 나아가 민주시민으로서의 역량을 함양
㉡ 학생의 정제되지 않은 무리한 요구나 비교육적인 의견 제시로 인해 학교 구성원 간의 갈등이나 학교 교육의 기능이 마비</td></tr>
<tr><td>※ 주제와의 연계</td><td colspan="2">교사는 학습자 맞춤형 교육의 내용을 학교 교육과정에 반영할 수 있는 논의 역량을 갖추고 있어야 한다.</td></tr>
</table>

02 모범답안

서론

최근 학생 중심 교육이 강조됨에 따라 학습자 맞춤형 교육 지원이 주요 현안으로 부각되고 있다. 현장 교사는 교육과정, 교수전략, 교육평가, 교육행정 등 여러 가지 방면에서 학습자 맞춤형 교육의 지원 역량을 함양해 나가야 한다. 제시문의 대담 내용을 토대로 학습자 맞춤형 교육 지원을 위한 교사의 역량에 대해 논의하고자 한다.

본론

교육과정 측면에서 학습자 맞춤형 교육을 지원하려면 교사에게 학습자 맞춤형 교육과정 개발 역량이 필요하다. 교사 A가 궁금한 잠재적 교육과정에 근거하여 교육과정을 계획할 때에는 다음과 같은 점을 고려해야 한다. 첫째, 학습 목표 설정 시, 의도하지 않은 결과가 초래될 수 있다는 점을 인식하여 인지적 영역뿐만 아니라 정의적 측면 등 다양한 관점에서 학습 목표를 수립해야 한다. 둘째, 교육 내용 구성 시, 특정 교육 내용이 학생에게 어떠한 영향을 미칠지 다각도로 분석하여 신중하게 구성해야 한다. 셋째, 학생 평가 계획 시, 탈목표평가의 관점을 수용하여 의도하지 않은 교육적 결과에 대해서도 종합적으로 평가해야 한다. 교사는 공식적 교육과정은 물론이며 의도하지 않은 잠재적 교육과정까지 고려하여 학습자에게 맞춤형 교육을 지원할 수 있어야 한다.

교수학습 측면에서는 학습자 맞춤형 교육을 지원할 수 있는 교사의 교수전략 및 수업 역량이 요구된다. 전문가 C가 언급한 온라인 수업에서 학습자 상호작용이 어려운 점은 물리적 환경에 대한 지식과 정보의 부족이다. 온라인 상에서의 상호작용을 위한 활용도구 및 전략에 대한 정보가 부족하거나, 플랫폼, 앱 등의 테크놀로지에 대한 지식과 활용능력이 부족할 때 학습자의 즉각적인 상호작용에 어려움을 호소한다. 온라인 수업에서 학습자 상호작용의 유형과 그 기능은 다음과 같다. 첫째, 교수자와 학습자 간 상호작용 유형이다. 이는 수업내용에 대한 질의응답이나 피드백 제공 등을 통해 학습자의 학습이해력을 점검하고 교수자와 학습자 간의 심리적 거리를 줄이는 기능을 수행한다. 둘째, 학습자와 학습자 간 상호작용 유형이다. 이는 학습내용에 대한 의견교환, 토론수행, 협동학습 등을 학습자 공동으로 수행하면서 친밀감과 소속감을 높이고 협력적으로 지식을 구성하는 데 도움을 준다. 셋째, 학습자와 내용 간 상호작용 유형이다. 이는 학습자가 콘텐츠의 요구에 반응하고 몰입하여 학습함으로써 학습내용을 이해하고 조직하고 정교화하며 고차적 사고를 촉진하는 데 도움을 준다.

교육평가 측면에서 교사는 학습자의 개별 능력을 고려하는 평가 역량을 갖추어 학습자 맞춤형 교육을 지원할 수 있어야 한다. 전문가 E가 학습자 맞춤형 교육을 위해 제시한 능력참조평가를 적용하고 결과를 해석할 때 유의할 점은 다음과 같다. 첫째, 적용 시에는 학생의 능력에 대한 정확한 정보를 토대로 적용해야 한다는 점이다. 능력참조평가는 학생의 능력을 기준으로 평가하기 때문이다. 둘째, 결과 해석 시에는 능력 이외 다른 요소들은 배제하고 개인의 능력 발휘 정도에만 초점을 두어 결과를 해석해야 한다는 점이다. 능력참조평가는 학생 개인의 능력과 능력 발휘 정도를 비교하여 평가하기 때문이다. 한편, 컴퓨터 능력적응검사(CAT)는 다음과 같은 특징이 있다. 첫째, 모든 피험자에게 동일한 문항을 제시하는 것이 아니라 피험자의 능력 수준에 따라 각기 다른 문항을 제시한다. 이 때문에 피험자의 능력을 정확하게 측정할 수 있다. 둘째, 피험자 능력수준에 적합한 효율적이고 개별적인 검사이다. 짧은 시간에 적은 수의 문항으로도 효율적인 검사를 실시할 수 있기 때문에 검사에 소요되는 시간을 단축시키고 측정오차를 줄일 수 있다.

교육행정 측면에서 교사는 학습자 맞춤형 교육의 내용을 학교 교육과정에 반영할 수 있는 논의 역량을 갖추고 있어야 한다. 전문가 G가 언급한 학교운영위원회의 법적 구성 위원 3주체는 학부모, 교원, 지역사회 인사이다. 이 구성의 의의는 학교운영에 관한 의사결정에 학부모, 교원, 지역사회 인사가 함께 참여함으로써 학교 의사결정의 민주성과 합리성을 증진하고, 학교의 자율성과 책무성을 강화할 수 있다는 점이다. 한편, 위원으로 학생 참여 시 순기능은 학생의 요구와 필요가 반영된 학생 중심의 학교 교육과정 운영이 가능하고, 학생의 소속감과 주인의식, 나아가 민주시민으로서의 역량을 함양할 수 있다는 점이다. 반면, 학생의 정제되지 않은 무리한 요구나 비교육적인 의견 제시로 인해 학교 구성원 간의 갈등이나 학교 교육의 기능이 마비될 수 있는 역기능도 존재한다. 교사가 학습자 맞춤형 교육 내용을 논의할 수 있는 역량을 갖추고 그 구체적인 내용을 학교 현장에 구현해 나갈 수 있다면 학습자 맞춤형 교육은 실현될 수 있을 것이다.

결론

학습자 맞춤형 교육을 지원하기 위해서는 무엇보다 학교현장 교사의 역량과 노력이 필수적으로 요구된다. 교사는 교육과정, 교수전략, 교육평가, 교육행정 등 다양한 측면을 고려하여 학습자 맞춤형 교육이 가능하도록 자신의 역량을 다해 나가야 한다. 이 같은 교사의 실천적 노력이 지속된다면 학습자 맞춤형 교육은 보다 효과적으로 정착될 수 있을 것이다.

Chapter

03 2023학년도 중등 교육학 논술

다음은 ○○고등학교에서 작성한 '학교 운영 자체 평가 보고서' 중 전년도에 비해 학교 교육 만족도가 높아진 항목에 대한 분석 결과의 일부이다. 만족도 조사 결과 그래프, 서술식 응답, 분석 내용을 읽고 '학생, 학부모, 교사의 의견을 반영한 학교 교육 개선'이라는 주제로 교수전략, 교육평가, 교육과정, 학교 조직을 구성 요소로 하여 서론, 본론, 결론을 갖추어 논하시오. [20점]

학생 만족도 조사 결과

Q. 수업 내용과 과제의 수준이 적절하다.

(*5점 리커트 척도)

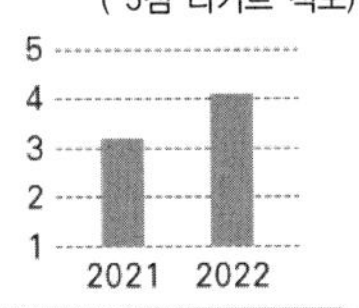

- 어려운 과제도 해결할 자신이 생겼어요.
- 공부하기 전에 목표를 설정하는 연습을 했던 것이 도움이 되었어요.

분석 내용

수업 내용과 과제의 수준에 실질적인 변화가 없었지만, 학생들의 만족도가 높아졌다. 이는 사회인지이론에서 제시한 자기효능감과 자기조절을 증진하기 위해 노력한 결과로 분석된다. 특히 자기효능감 형성에 영향을 미치는 숙달 경험과 대리 경험을 학생들에게 제공하고, 자기조절을 촉진하기 위해 학생들 스스로 목표 설정 및 계획 단계를 실행하도록 한 것이 효과적이었다. 향후 학생들의 자기효능감 향상을 위해 적절한 교수전략을 지속적으로 모색하고, 자기조절 과정에서 목표 설정 및 계획 단계 이후로 나아가도록 지원할 필요가 있다.

학생 만족도 조사 결과

Q. 학교에서 시행하는 평가는 적절하다.

(*5점 리커트 척도)

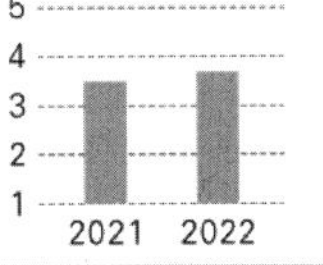

- 수업 중 퀴즈, 질문이 학습에 도움이 되었어요.
- 시험 문제가 수업에서 배운 것과 약간 다른 것 같아요.

분석 내용

수업 진행 중에 퀴즈, 질문과 같은 형성평가 방법을 적절하게 적용한 점이 학생들의 평가 만족도를 높인 것으로 분석된다. 학생들이 이러한 평가로 인해 부담감을 느끼지 않도록 형성평가에 대해 잘 설명한 것이 효과가 있었다. 한편, 학생 의견 중 검사의 타당도에 대한 의견도 있었다. 교육 현장에서는 정기고사에서의 평가 방법도 중요하므로, 앞으로 평가 문항 개발 시 교육과정에 따라 수업 중에 가르친 부분을 점검하여 타당도를 높일 수 있는 방안을 모색해야 한다.

학부모 만족도 조사 결과

Q. 학교 교육과정이 잘 편성·운영된다.

(*5점 리커트 척도)

5
4
3
2
1
2021 2022

- 우리 아이가 다양한 과목과 활동을 경험할 수 있어 좋았어요.
- 학문적 지식을 좀 더 많이 다루어 주셨으면 합니다.

분석 내용

우리 학교에서는 듀이(J. Dewey)의 경험중심 교육과정 이론에 근거하여 과목을 다양화하고 경험을 통한 학습이 가능하도록 하였다. 이 점이 학부모의 만족도를 높이는 데 영향을 주었을 것으로 분석된다. 한편, 학생들이 지식에 더 중점을 두고 학습하기를 희망하는 학부모의 의견이 있었다. 이를 반영하여 학생들의 교과 학습에 도움을 줄 수 있도록 교육과정의 내용 체계를 보완할 필요가 있다. 다음 학년도에는 학문적 지식을 강조한 브루너(J. Bruner)의 교육과정 이론을 바탕으로 교육내용을 선정·조직하는 방안을 보다 체계화하여 균형 잡힌 교육과정을 편성·운영해야 할 것이다.

교사 만족도 조사 결과

Q. 학교 운영에 대해 전반적으로 만족한다.

(*5점 리커트 척도)

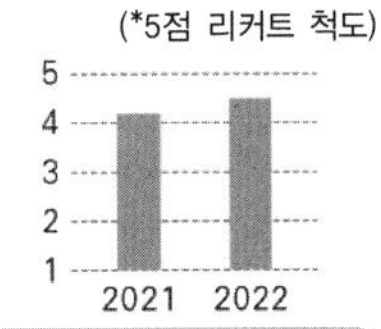

- 기본에 충실해야 한다는 생각이 학교 문화로 자리 잡았습니다.
- 학교 구성원 간의 약속이 더 잘 지켜지도록 노력해야 합니다.

분석 내용

학교 운영 전반에 대한 교사의 만족도가 전년도에 비해 상승했다. 학교의 외부 환경 변화와 내부 구성원의 변동이 있었음에도 불구하고 함께 이루어낸 성과였다. 이는 교사의 서술식 응답에서 볼 수 있듯이 기본에 충실한 학교 문화가 형성되었고, 학교 구성원 간 공동의 약속이 준수된 결과라 할 수 있다. 즉, 베버(M. Weber)가 제시한 관료제 이론의 특징 중 하나인 '규칙과 규정'이 학교 조직에 잘 적용된 것으로 판단된다. 앞으로도 이러한 결과가 유지될 수 있도록 '규칙과 규정'의 순기능을 강화하고 역기능을 줄여야 할 것이다.

배 점

- **논술의 내용 [총 15점]**
  - 평가 보고서에서 자기효능감 형성에 영향을 미친다고 분석한 요인에 따른 교수전략 2가지, 자기조절 과정에서 목표 설정 및 계획 단계 이후의 지원 방안 2가지 [4점]
  - 평가 보고서에서 언급한 형성평가를 교사 측면에서 활용할 수 있는 방안 2가지, 평가 보고서에서 제안한 타당도의 명칭과 이 타당도의 확보 방안 1가지 [4점]
  - 평가 보고서에서 학교 교육과정 편성·운영의 만족도를 높인 것으로 분석한 교육과정 이론의 장점 2가지, 학교 교육과정을 보완하기 위해 제안한 교육과정 이론의 교육내용 선정·조직 방안 2가지 [4점]
  - 평가 보고서에서 언급한 관료제 이론의 특징 중 '규칙과 규정'이 학교 조직에 미치는 순기능 2가지, 역기능 1가지 [3점]
- **논술의 구성 및 표현 [총 5점]**
  - 논술의 내용과 '학생, 학부모, 교사의 의견을 반영한 학교 교육 개선'의 연계 및 논리적 형식 [3점]
  - 표현의 적절성 [2점]

01 논제 파악

1 도해조직자(graphic organizer)

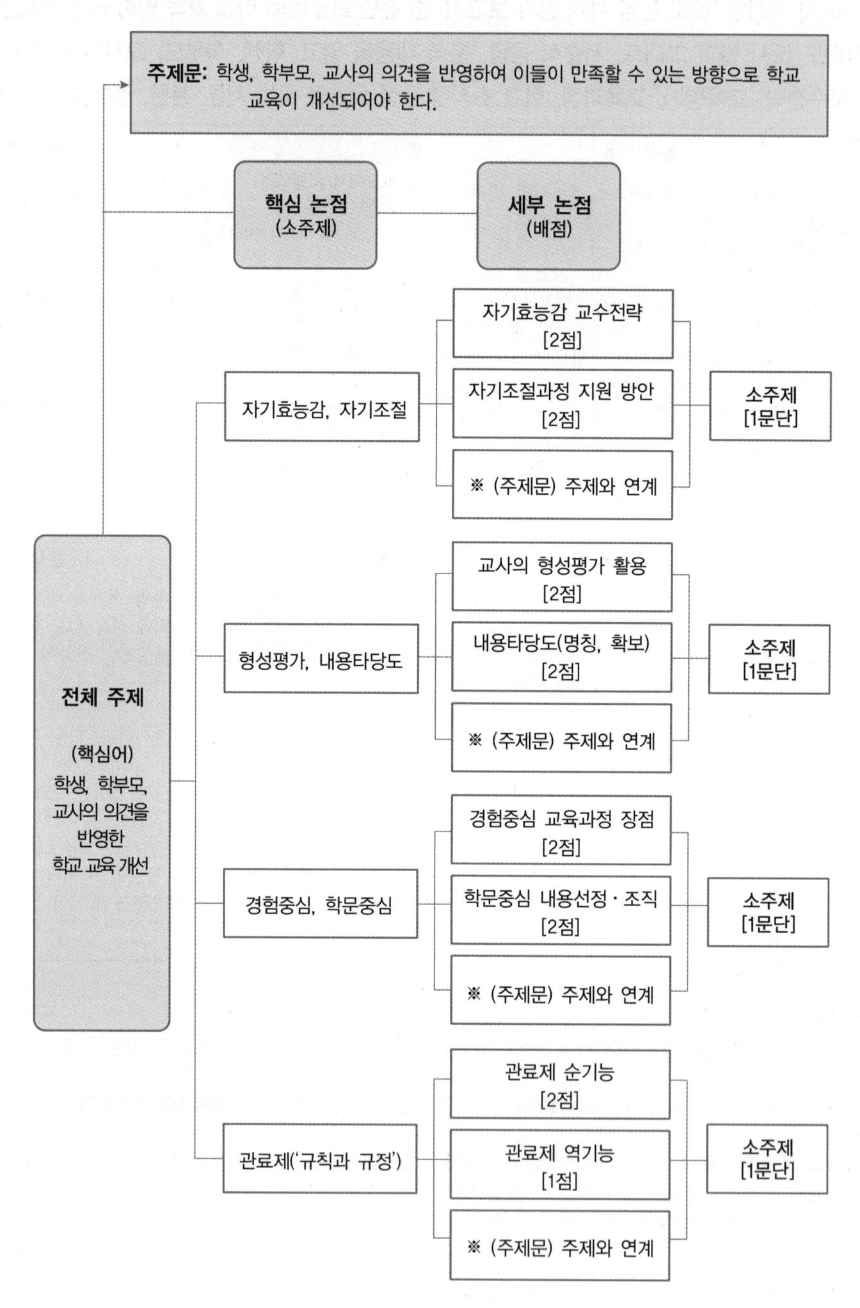

2 배점 분석('내용 영역')

배 점

- **논술의 내용 [총 15점]**
  - 평가 보고서에서 자기효능감 형성에 영향을 미친다고 분석한 요인에 따른 교수전략 2가지, 자기조절 과정에서 목표 설정 및 계획 단계 이후의 지원 방안 2가지 [4점]
    - ⇨ 숙달 경험과 대리 경험 제공을 위한 교수전략 각각 1가지(2점), 자기조절 과정 지원 2가지(2점) [4점]
  - 평가 보고서에서 언급한 형성평가를 교사 측면에서 활용할 수 있는 방안 2가지, 평가 보고서에서 제안한 타당도의 명칭과 이 타당도의 확보 방안 1가지 [4점]
    - ⇨ 교사 측면에서 형성평가의 활용 방안 2가지(2점), 내용타당도 및 그 확보 방안 1가지(2점) [4점]
  - 평가 보고서에서 학교 교육과정 편성·운영의 만족도를 높인 것으로 분석한 교육과정 이론의 장점 2가지, 학교 교육과정을 보완하기 위해 제안한 교육과정 이론의 교육내용 선정·조직 방안 2가지 [4점]
    - ⇨ 경험중심 교육과정 장점 2가지(2점), 학문중심 교육과정의 교육내용 선정·조직 방안(2점) [4점]
  - 평가 보고서에서 언급한 관료제 이론의 특징 중 '규칙과 규정'이 학교 조직에 미치는 순기능 2가지, 역기능 1가지 [3점]
    - ⇨ '규칙과 규정'의 강조에 따른 순기능 2가지(2점), 역기능 1가지(1점) [3점]

3 답안 구상

주제문 학생, 학부모, 교사의 의견을 반영하여 이들이 만족할 수 있는 방향으로 학교 교육이 개선되어야 한다.

<table>
<tr><th>전체 주제
(대주제)</th><th>핵심 논점
(소주제)</th><th>세부 논점
(배점)</th><th colspan="2">중심 내용 + 설명/논증/(제시문 분석·적용)</th><th>배점</th><th>출제 영역</th></tr>
<tr><td rowspan="3">학생,
학부모,
교사의
의견을
반영한
학교 교육
개선</td><td rowspan="3">자기효능감,
자기조절학습</td><td>① 자기효능감 교수전략 [2점]</td><td>㉠ 숙달 경험 제공 측면
㉡ 대리 경험 제공 측면</td><td>㉠ 학습자 수준에 맞는 과제, 도전적 과제 제시 등 → 과제 숙달로 성공경험의 기회를 제공
㉡ 학생 자신과 유사한 또래 모델의 성공적인 모습이나 사례 제시 → 대리 강화를 받도록 함</td><td rowspan="3">4점</td><td rowspan="3">교육심리</td></tr>
<tr><td>② 자기조절 과정 지원
(목표 설정 이후 단계)
[2점]</td><td>㉠ 자기 관찰
(진행 점검)
㉡ 자기 평가
(자기 판단)
㉢ 자기 강화
(자기 반응)</td><td>㉠ 학생들에게 체크리스트를 제공 → 목표 달성을 위한 현재의 학습 상황을 관찰하며 점검하도록 지원
㉡ 자기평가지나 자기성찰지를 제공 → 목표 달성 정도를 스스로 평가하도록 지원
㉢ 자기평가를 토대로 목표 달성 여부에 따라 스스로 강화나 처벌을 하도록 지원</td></tr>
<tr><td>※ 주제와의 연계</td><td colspan="2">학생의 자기효능감과 자기조절을 증진하여 학생의 학습 만족도를 높이는 방향으로 학교 교육이 개선되어야 한다.</td></tr>
</table>

형성평가, 내용타당도	① 형성평가의 활용 (교사 측면) [2점]	㉠ 교수내용 · 교육과정 개선 ㉡ 교수방법 · 교수전략 개선 ㉢ 기타: 피드백 제공, 수업진행 속도 조절, 학생의 학습 곤란 지점 진단 · 교정 등	㉠ 학생의 학습목표 달성 정도나 학생 간 학습수준의 차이, 학습내용 이해도를 점검하여 교수내용이나 교육과정을 개선하는 용도로 활용 ㉡ 학생의 학습 진전 상황이나 교사의 교수방법에 대한 정보를 수집 · 분석하여 자신의 교수방법이나 교수전략을 개선하는 용도로 활용	4점	교육평가
	② 내용타당도 [2점]	㉠ 명칭 ㉡ 확보 방안	㉠ 내용타당도(교수타당도) ㉡ 이원분류표(이원목적분류표)를 작성하고 그에 따라 검사 문항을 제작		
	※ 주제와의 연계	교육평가 측면에서는 형성평가의 활용과 타당도의 확보를 통해 학생의 평가 만족도를 높이는 방향으로 학교 교육이 개선되어야 한다.			
경험중심 교육과정, 학문중심 교육과정	① 경험중심 교육과정 (장점) [2점]	㉠ 장점1 ㉡ 장점2	㉠ 학생의 경험과 흥미를 토대로 다양한 활동을 경험하도록 하므로 학생의 자발적이고 능동적 학습활동 촉진 ㉡ 생활의 문제를 실험적 과정(문제-가설-자료수집-검증-결론)을 통해 적극적으로 해결하도록 하므로 문제해결능력과 반성적 사고력을 함양	4점	교육과정
	② 학문중심 교육과정 (교육내용 선정 · 조직 방안) [2점]	㉠ 교육내용 선정 ㉡ 교육내용 조직	㉠ 지식의 구조: 각 학문에 내재해 있는 기본 개념과 원리를 상호 관련하여 체계화해 놓은 것을 선정 ㉡ 나선형 교육과정: 지식의 구조는 계속 반복하면서 학습자의 발달단계를 고려하여 점점 폭과 깊이를 확대 · 심화하도록 조직		
	※ 주제와의 연계	교육과정 측면에서는 학교 교육과정 편성 · 운영의 만족도를 높이는 방향으로 학교 교육이 개선되어야 한다.			

	관료제 이론 ('규칙과 규정' 강조)	① 순기능 [2점]	계속성, 안정성, 통일성	㉠ 모든 업무가 규칙과 규정에 따라 처리 → 학교 내외부의 변화와 관계없이 조직 운영의 계속성과 안정성 확보 ㉡ 규칙과 규정에 근거하여 업무를 처리 → 업무의 통일성 확보	3점	교육행정
		② 역기능 [1점]	조직운영의 경직성, 목표전도 현상	규칙과 규정을 지나치게 강조하면 조직 운영이 경직되거나 목표전도 현상		
		※ 주제와의 연계	학교 조직의 측면에서는 학교 운영 전반에 대한 교사의 만족도가 상승될 수 있도록 학교 운영이 개선되어야 한다.			

02 모범답안

서론

최근 학생, 학부모, 교사의 의견을 반영한 학교 교육의 개선이 주요 현안으로 부각되고 있다. 학교 현장에서는 학생, 학부모, 교사 등의 학교 교육 만족도가 높아질 수 있도록 교수전략, 교육평가, 교육과정, 학교 조직 등 여러 가지 방면을 검토하며 개선해 나가야 한다. 제시문의 '학교 운영 자체 평가 보고서'를 토대로 학생, 학부모, 교사의 의견을 반영한 학교 교육 개선에 대해 논의하고자 한다.

본론

먼저, 학생의 자기효능감과 자기조절을 증진하여 학생의 학습 만족도를 높이는 방향으로 학교 교육이 개선되어야 한다. '평가 보고서'에 따르면 자기효능감 형성에 영향을 미친 요인은 숙달 경험과 대리 경험이다. 숙달 경험을 제공하기 위한 교수전략으로는 학습자 수준을 분석하여 그에 맞는 과제나 도전적인 과제 등을 제시하는 것이다. 그러한 과제를 숙달하도록 함으로써 성공경험의 기회를 제공하도록 한다. 대리 경험을 제공하기 위한 교수전략으로는 또래 모델을 활용하는 것이다. 학생 자신과 유사한 모델의 성공적인 모습이나 사례를 제시하여 대리 강화를 받도록 한다. 또 자기조절을 촉진하도록 하는 것도 중요한데, 자기조절 과정에서 목표 설정 이후의 단계에서는 다음과 같이 지원할 수 있다. 첫째, 자기관찰(self monitoring)이다. 학생들에게 체크리스트를 제공하여 목표 달성을 위한 현재의 학습 상황을 관찰하며 점검하도록 지원한다. 둘째, 자기평가(self evaluation)이다. 자기평가지나 자기성찰지를 제공하여 목표 달성 정도를 스스로 평가하도록 지원한다. 학생의 자기효능감과 자기조절을 증진하도록 학교 교육이 개선된다면 학생의 만족도는 더욱 높아질 수 있다.

교육평가 측면에서는 형성평가의 활용과 타당도의 확보를 통해 학생의 평가 만족도를 높이는 방향으로 학교 교육이 개선되어야 한다. 교사는 수업 진행 중에 실시하는 형성평가를 다음과 같이 활용할 수 있다. 첫째, 학생의 학습목표 달성 정도나 학생 간 학습수준의 차이, 학습내용 이해도 등을 점검하여 보충·심화 등 교수내용이나 교육과정을 개선하는 용도로 활용한다. 둘째, 학생의 학습 진전 상황이나 교사의 교수방법에 대한 정보를 수집·분석하여 자신의 교수방법이나 교수전략을 개선하는 용도로 활용한다. 한편, '평가 보고서'에 제안한 타당도는 내용타당도(교수타당도)이다. 검사가 수업 중에 배운 내용을 얼마나 포함하고 있는가 하는 것이 교수타당도이다. 내용타당도를 확보하기 위해서는 교육목표를 내용영역과 행동영역으로 이분화시켜 표현한 이원분류표를 작성하고 그에 따라 검사 문항을 제작하도록 한다. 수업 중에 형성평가를 적절히 활용하고 타당도를 높일 수 있는 방안을 모색하고 개선해 나간다면 학생의 평가 만족도도 향상될 수 있다.

교육과정 측면에서는 학교 교육과정 편성·운영의 만족도를 높이는 방향으로 학교 교육이 개선되어야 한다. '평가 보고서'에 제시된 경험중심 교육과정 이론은 다음과 같은 장점이 있다. 첫째, 학생의 경험과 흥미를 토대로 다양한 활동을 경험하도록 하므로 학생의 자발적이고 능동적인 학습활동을 촉진할 수 있다. 둘째, 실제 생활의 문제를 실험적 과정(문제-가설-자료수집-검증-결론)을 통해 적극적으로 해결하도록 하므로 문제해결능력과 반성적 사고력을 함양할 수 있다. 한편, 학교 교육과정을 보완하기 위해 제안한 교육과정 이론은 학문중심 교육과정 이론과 관련된다. 학문중심 교육과정에서는 각 학문에 내재해 있는 기본 개념과 원리를 상호 관련하여 체계화 해 놓은 지식의 구조를 교육내용으로 선정한다. 지식의 구조는 계속 반복하면서 학습자의 발달단계를 고려하여 점점 폭과 깊이를 확대·심화하도록 나선형 교육과정으로 조직한다. 학교 교육과정의 편성·운영을 보다 균형 잡힌 방향으로 개선해 나간다면 학교 교육과정 편성·운영에 대한 학부모의 만족도도 높아질 수 있다.

학교 조직의 측면에서는 학교 운영 전반에 대한 교사의 만족도가 상승될 수 있도록 학교 운영이 개선되어야 한다. 학교는 관료제적 특성을 지니고 있으므로 관료제의 특징 중 하나인 '규칙과 규정'이 학교 조직에 적용될 수 있다. 그에 따른 순기능과 역기능이 발생할 수 있다. 순기능을 살펴보면, 첫째, 모든 업무가 규칙과 규정에 따라 처리되므로 학교 내외부의 변화와 관계없이 조직 운영의 계속성과 안정성을 확보할 수 있다. 둘째, 규칙과 규정에 근거하여 업무를 처리해 나감으로써 업무의 통일성을 꾀할 수 있다. 반면, 규칙과 규정을 지나치게 강조하면 조직 운영이 경직되거나 목표전도 현상이 나타나는 역기능도 있다. 그러므로 학교 관료제의 순기능을 강화하고 역기능을 줄이는 방향으로 학교 운영이 개선된다면 학교 운영 전반에 대한 교사의 만족도가 높아질 수 있을 것이다.

결론

학생, 학부모, 교사의 의견을 반영하여 이들이 만족할 수 있는 방향으로 학교 교육이 개선되어야 한다. 이를 위해서는 학생, 학부모, 교사 등의 학교 교육 만족도를 반영하여 교수전략, 교육평가, 교육과정, 학교 조직 등 여러 가지 방면을 검토하며 개선해 나가야 한다. 학교 당국과 학교 구성원 모두의 실천적 노력이 뒤따를 때 학교 교육은 학교 구성원 모두가 만족하는 방향으로 개선될 수 있을 것이다.

Chapter 04

2022학년도 중등 교육학 논술

다음은 ○○중학교에서 학교 자체 특강을 실시한 교사가 교내 동료 교사와 나눈 대화의 일부이다. 이 내용을 읽고 '학교 내 교사 간 활발한 정보 공유를 통한 교육의 내실화'라는 주제로 교육과정, 교육평가, 교수전략, 교원연수에 대한 내용을 구성 요소로 하여 서론, 본론, 결론을 갖추어 논하시오. [20점]

김 교사: 송 선생님, 제 특강에 관심을 가져 주셔서 감사합니다. 선생님은 올해 우리 학교에 발령받아 오셨으니 도움이 필요하시면 말씀하세요.

송 교사: 정말 감사합니다. 그동안은 교과 간 통합에 주로 관심을 가져왔는데, 김 선생님의 특강을 들어 보니 이전 학습 내용과 다음 학습 내용이 자연스럽게 연결되어야 한다는 수직적 연계성도 중요한 것 같더군요. 그래서 이번 학기에는 교과 내 단원의 범위와 계열을 조정할 계획입니다. 선생님께서는 교육과정을 어떻게 재구성하시는지 함께 이야기할 수 있을까요?

김 교사: 그럼요. 제가 교육과정 재구성한 것을 보내 드릴 테니 보시고 다음에 이야기해요. 그런데 교육 활동에서는 학생에 대한 이해가 중요하잖아요. 학기 초에 진단은 어떤 방식으로 하려고 하시나요?

송 교사: 이번 학기에는 선생님께서 특강에서 말씀하신 총평(assessment)의 관점에서 진단을 해 보려 합니다.

김 교사: 좋은 생각입니다. 그리고 우리 학교에서는 평가 결과로 학생 간 비교를 하지 않으니 학기 말 평가에서는 다양한 기준을 활용해 평가 결과를 해석해 보실 것을 제안합니다.

송 교사: 네, 알겠습니다. 이제 교실 수업에서 사용할 교수전략을 개발해야 하는데 딕과 캐리(W. Dick & L. Carey)의 체제적 교수설계모형을 적용하려고 해요. 이 모형의 교수전략개발 단계에서 개발해야 할 교수전략이 무엇인지 생각 중이에요.

김 교사: 네, 좋은 전략을 찾으시면 제게도 알려 주세요. 그런데 우리 학교는 온라인 수업을 해야 될 상황이 생길 수도 있어요. 제가 온라인 수업을 해 보니 일부 학생들이 고립감을 느끼더군요. 선생님들이 온라인 수업을 하는 데 필요한 정보를 공유하는 학교 게시판이 있어요. 거기에 학생의 고립감을 해소하는 데 효과를 본 테크놀로지 기반의 교수·학습 활동을 정리해 올려 두었어요.

송 교사: 네, 온라인 수업을 하게 되면 활용할게요. 선생님 덕분에 좋은 정보를 많이 얻을 수 있어 좋네요. 선생님들 간 활발한 정보 공유의 기회가 더 많아지길 바랍니다.

김 교사: 네. 앞으로는 정보 공유뿐만 아니라 교사들 간 실질적인 협력도 있었으면 해요. 이를 위해 학교 중심 연수가 활성화되면 좋겠어요.

배 점

- **논술의 내용 [총 15점]**
  - 송 교사가 언급한 교육과정의 수직적 연계성이 학습자 측면에서 갖는 의의 2가지, 송 교사가 계획하는 교육과정 재구성의 구체적인 방법 2가지 [4점]
  - 송 교사가 총평의 관점에서 학생을 진단할 수 있는 실행 방안 2가지 제시, 송 교사가 활용할 수 있는 평가 결과의 해석 기준 2가지를 각각 그 이유와 함께 제시 [4점]
  - 송 교사가 교실 수업을 위해 개발해야 할 교수전략 2가지 제시, 송 교사가 온라인 수업에서 학생의 고립감 해소를 위해 활용할 수 있는 구체적인 교수·학습 활동 2가지를 각각 그에 적합한 테크놀로지와 함께 제시 [4점]
  - 김 교사가 언급한 학교 중심 연수의 종류 1가지, 학교 중심 연수를 활성화하기 위해 학교 차원에서 지원할 수 있는 구체적인 방안 2가지 [3점]
- **논술의 구성 및 표현 [총 5점]**
  - 논술의 내용과 '학교 내 교사 간 활발한 정보 공유를 통한 교육의 내실화'의 연계 및 논리적 형식 [3점]
  - 표현의 적절성 [2점]

01 논제 파악

1 도해조직자(graphic organizer)

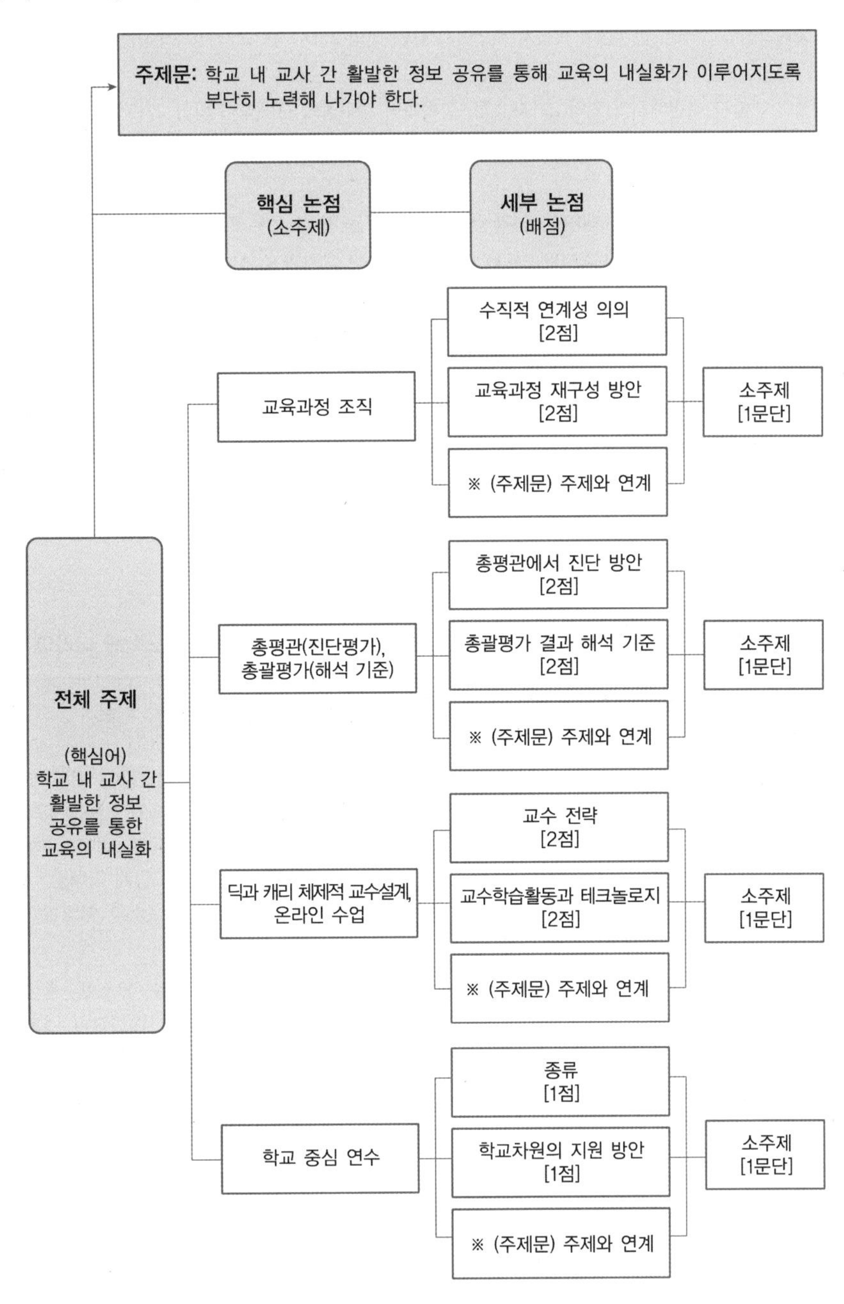

2 배점 분석('내용 영역')

배 점

- **논술의 내용 [총 15점]**

– 송 교사가 언급한 교육과정의 수직적 연계성이 학습자 측면에서 갖는 의의 2가지, 송 교사가 계획하는 교육과정 재구성의 구체적인 방법 2가지 [4점]

⇨ 수직적 연계성이 학습자 측면에서의 의의 2가지(2점), 교육과정 재구성의 구체적인 방법 2가지(2점) [4점]

– 송 교사가 총평의 관점에서 학생을 진단할 수 있는 실행 방안 2가지 제시, 송 교사가 활용할 수 있는 평가 결과의 해석 기준 2가지를 각각 그 이유와 함께 제시 [4점]

⇨ 총평의 관점에서 학생 진단 방안 2가지(2점), 평가 결과의 해석 기준과 그 이유 2가지(2점) [4점]

– 송 교사가 교실 수업을 위해 개발해야 할 교수전략 2가지 제시, 송 교사가 온라인 수업에서 학생의 고립감 해소를 위해 활용할 수 있는 구체적인 교수·학습 활동 2가지를 각각 그에 적합한 테크놀로지와 함께 제시 [4점]

⇨ 교수전략 2가지(2점), 교수·학습 활동과 그에 적합한 테크놀로지 2가지(2점) [4점]

– 김 교사가 언급한 학교 중심 연수의 종류 1가지, 학교 중심 연수를 활성화하기 위해 학교 차원에서 지원할 수 있는 구체적인 방안 2가지 [3점]

⇨ 학교 중심 연수의 종류 1가지(1점), 학교 차원에서 구체적 지원 방안 2가지(2점) [3점]

3 답안 구상

주제문 학교 내 교사 간 활발한 정보 공유를 통해 교육의 내실화가 이루어지도록 부단히 노력해 나가야 한다.

전체 주제 (대주제)	핵심 논점 (소주제)	세부 논점 (배점)	중심 내용+설명/논증/(제시문 분석·적용)		배점	출제 영역
학교 내 교사 간 활발한 정보 공유를 통한 교육의 내실화	교육과정 조직	① 수직적 연계성 (학습자 측면 의의) [2점]	㉠ 학습의 효율성 증대 ㉡ 학생의 교육력 감소와 학업성취도 향상에 기여	㉠ 후속학습의 선행요건이 되는 학습을 보장 → 학습의 효율성 증대 ㉡ 여러 결절부를 중복, 비약, 낙차 등이 없도록 부드럽게 이어줌 → 학생의 교육력 감소와 학업성취도 향상 기여	4점	교육과정
		② 교육과정 재구성 방안 (교과 내 단원의 범위와 계열 측면) [2점]	㉠ 범위 측면 ㉡ 계열 측면	㉠ 교육과정상의 필수요소를 중심으로 핵심내용을 엄선하여 내용요소의 폭과 수업시수를 재구성 ㉡ 엄선된 학습내용이 순차적으로 심화·확대되도록 내용의 순서를 조정하여 재구성		
		※ 주제와의 연계	교육과정 조직에 관한 다양한 정보를 교사 간에 공유하고 활용하면 교육이 내실화될 수 있을 것이다.			

총평관에서의 진단검사, 총괄평가에서 평가결과의 해석 기준과 그 이유	① 총평 관점에서 학생 진단 방안 [2점]	㉠ 양적 평가와 질적 평가 활용 ㉡ 투사적 방법 활용	㉠ 객관화된 검사도구를 사용하는 양적 평가와 관찰법·면접법을 사용하는 주관적 질적 평가를 함께 활용 ㉡ 자기보고방법, 역할놀이, 자유연상법 등의 심층적인 투사적 방법을 활용	4점	교육평가
	② 총괄평가에서 평가결과의 해석 기준과 그 이유 [2점]	㉠ 준거지향해석 ㉡ 성장지향해석	㉠ 준거지향해석을 하면 학생의 원점수를 학생이 도달해야 할 성취표준에 비추어 그 성취정도를 확인할 수 있기 때문 ㉡ 성장지향해석은 과거 성취도에 비추어 원점수를 해석하므로 학생의 성장 정도를 파악하는 데 유용하기 때문		
	※ 주제와의 연계	평가에 관한 교사 간 활발한 정보 공유는 교육의 내실화에 기여할 수 있을 것이다.			
딕과 캐리의 교수체제설계, 온라인 수업	① 딕과 캐리의 교수체제설계: 교수전략 [2점]	㉠ 교수 전 활동 ㉡ 내용 제시 활동	㉠ 학생의 동기유발 전략, 학습목표 제시, 출발점 행동 확인 등 ㉡ 교수 계열화, 교수단위의 크기 결정, 정보와 예 제시 등	4점	교육방법
	② 온라인 수업에서 학생의 고립감 해소 위한 교수·학습활동과 그에 적합한 테크놀로지 [2점]	㉠ 온라인 토의·토론 학습 ㉡ 온라인 협동학습	㉠ 줌(ZOOM)이나 SNS 등에 기반한 온라인 토론활동으로 학생 간 쌍방향 의사소통을 활성화 ㉡ 패들렛(Padlet)이나 온라인 단체 채팅방 등에 기반하여 팀원과 상호협력하며 공동의 과제를 해결		
	※ 주제와의 연계	학교현장의 수업 상황에 맞는 다양한 교수전략을 교사 간에 함께 공유하고 활용하면 교육의 내실화도 가능할 수 있을 것이다.			

	학교 중심 연수	① 학교 중심 연수 종류 [1점]	교내자율장학이나 연구수업, 전문적 학습공동체 활동 등	교내자율장학(수업장학, 동료장학, 자기장학의 결과를 자체연수 때 발표), 컨설팅장학, 연구수업, 교과교육연구회(동학년 협의회), 직원연수, 전달강습 등	3점	교육행정
		② 학교 차원의 지원 방안 [2점]	㉠ 자율적 연수 풍토 조성 ㉡ 연수 프로그램과 연수 내용 자체 개발하여 안내	㉠ 교사가 자율적으로 팀을 구성하여 연수하는 자율적인 연수 풍토 조성 → 우수 교과연구회 및 단위학교의 자율연수 프로그램이 자발적으로 이루어지도록 직능별 전문조직의 육성 및 지원 ㉡ 교사의 필요와 요구에 맞는 연수 프로그램과 연수 내용을 자체 개발하여 안내, 외부 전문가나 학부모를 초대하여 지식과 정보를 함께 공유, 학습		
		※ 주제와의 연계	교사 상호 간에 실질적인 협력이 가능한 학교 중심의 연수가 활성화되면 교육의 내실화도 한층 강화될 것이다.			

02 모범답안

서론

최근 학교 내 교사 간 활발한 정보 공유를 통해 교육을 내실화하자는 논의가 주요 현안으로 대두되고 있다. 교사는 교육과정, 교육평가, 교수전략, 교원연수 등 다양한 방면을 고려하여 학교교육의 내실화를 위한 방안을 모색할 필요가 있다. 제시문의 교사 간 대화 내용을 토대로 학교 내 교사 간 활발한 정보 공유를 통한 교육의 내실화에 대해 논의하고자 한다.

본론

교육을 내실화하려면 교육과정의 효과적인 조직이 선행되어야 하므로 이에 관해 교사 간 활발한 정보 공유가 필요하다. 송 교사가 언급한 교육과정의 수직적 연계성은 이전 학습내용과 다음 학습내용이 자연스럽게 연결되도록 하는 것이다. 수직적 연계성이 학습자 측면에서 갖는 의의는 다음과 같다. 첫째, 교육과정의 수직적 연계는 후속 학습의 선행요건이 되는 학습을 보장함으로써 학습의 효율성이 증대된다. 둘째, 여러 결절부를 중복, 비약, 낙차 등이 없도록 부드럽게 이어줌으로써 학생의 교육력 감소를 방지하고 학업성취수준의 향상에 기여한다. 송 교사가 계획하는 교과 내 단원의 범위와 계열을 조정하는 교육과정 재구성의 방법은 다음과 같다. 첫째, 교육과정상의 필수요소를 중심으로 핵심내용을 엄선하여 내용요소의 폭과 수업시수를 재구성한다. 둘째, 엄선된 학습내용이 나선형 교육과정 원리에 따라 순차적으로 심화·확대되도록 내용의 순서를 조정하여 재구성한다. 교육과정 조직에 관한 다양한 정보를 교사 간에 공유하고 활용하면 교육이 내실화될 수 있을 것이다.

교육평가의 방안과 결과 해석에 대한 교사 간 활발한 정보 공유도 교육의 내실화에 필수적이다. 송 교사가 언급한 총평은 인간의 특성을 종합적으로 평가하는 전인격 평가이다. 총평의 관점에서 학기 초 학생을 진단하려면 다음과 같은 실행 방안을 고려할 수 있다. 첫째, 객관화된 검사도구를 사용하는 양적 평가와 관찰법·면접법을 사용하는 주관적 질적 평가를 함께 활용하여 학생을 진단하고, 그 다양한 증거 사이의 합치성(congruence)을 검토하고 판정한다. 둘째, 자기보고방법, 역할놀이, 자유연상법 등의 심층적인 투사적 방법을 활용하여 전인적인 평가를 실행한다. 한편, 송 교사가 학기 말 평가에서 학생 간 비교를 하지 않고 활용할 수 있는 평가 결과의 해석 기준을 제시하면 다음과 같다. 첫째, 준거지향해석이다. 준거지향해석을 하면 학생의 원점수를 학생이 도달해야 할 성취표준에 비추어 그 성취정도를 확인할 수 있기 때문이다. 둘째, 성장지향해석이다. 성장지향해석은 과거 성취도에 비추어 원점수를 해석하므로 학생의 성장 정도를 파악하는 데 유용하기 때문이다. 평가에 관한 교사 간 활발한 정보 공유는 교육의 내실화에 기여할 수 있을 것이다.

교육의 내실화를 위해서는 교실 수업과 온라인 수업에서 사용할 교수전략 개발에 관해서도 교사 간 활발한 정보 공유가 요구된다. 딕과 캐리의 체제적 교수설계모형에 근거할 때 교실 수업을 위해 개발해야 할 교수전략은 다음과 같다. 첫째, 교수 전 활동에서는 학생의 동기유발 전략, 학습목표 제시, 출발점 행동 확인 등 학습 준비를 위한 전략을 개발한다. 둘째, 학습내용 제시를 위해서는 교수 계열화, 교수단위의 크기 결정, 정보와 예 제시 등 학습내용 제시 전략을 수립한다. 한편, 송 교사가 온라인 수업에서 학생의 고립감 해소를 위해 활용할 수 있는 교수・학습 활동은 다음과 같다. 첫째, 온라인 토의・토론학습을 활용한다. 줌(ZOOM)이나 SNS 등에 기반한 온라인 토론활동으로 학생 간 쌍방향 의사소통을 활성화하는 것이다. 둘째, 온라인 협동학습을 활용한다. 공동 작업이 가능한 패들렛(Padlet)이나 온라인 단체 채팅방 등에 기반하여 팀원과 상호협력하며 공동의 과제를 해결하도록 한다. 학교현장의 수업 상황에 맞는 다양한 교수전략을 교사 간에 함께 공유하고 활용하면 교육의 내실화도 가능할 수 있을 것이다.

교사 간 정보 공유뿐만 아니라 실질적인 협력이 가능한 학교 중심의 연수가 활성화되면 교육이 한층 내실화될 수 있다. 김 교사가 언급한 학교 중심 연수에는 수업장학, 동료장학 등의 결과를 자체연수 때 발표하는 교내자율장학이나 연구수업, 전문적 학습공동체 활동 등이 있다. 학교 중심 연수를 활성화하기 위해서는 다음과 같은 학교 차원에서의 지원 방안이 마련되어야 한다. 첫째, 교사가 자율적으로 팀을 구성하여 연수하는 자율적인 연수 풍토를 조성할 필요가 있다. 이를 위해 우수 교과연구회 및 단위 학교의 자율연수 프로그램이 자발적으로 이루어지도록 직능별 전문조직의 육성 및 지원을 강화하도록 한다. 둘째, 교사의 필요와 요구에 맞는 연수 프로그램과 연수 내용을 자체 개발하여 안내하거나, 교육의 전문성이 높은 외부 전문가나 학부모를 초대하여 교육 관련 지식과 정보를 함께 공유하며 학습하도록 지원한다. 교사 상호 간에 실질적인 협력이 가능한 학교 중심의 연수가 활성화되면 교육의 내실화도 한층 강화될 것이다.

결론

학교현장에서는 학교 내 교사 간 활발한 정보 공유를 통해 교육의 내실화가 이루어지도록 부단히 노력해 나가야 한다. 이를 위해 교육과정, 교육평가, 교수전략, 교원연수 등 다양한 방면에서 교사 간 활발한 정보 공유와 협력이 가능하도록 교사 상호 간의 적극적인 자세가 필요하다. 이 같은 학교현장에서의 지속적인 노력이 계속된다면 학교교육은 보다 내실화될 수 있을 것이다.

Chapter

05 2021학년도 중등 교육학 논술

다음은 ○○고등학교에 재직하고 있는 김 교사가 대학 시절 친구 최 교사에게 쓴 이메일의 일부이다. 이 내용을 읽고 '학생의 선택과 결정의 기회를 확대하는 교육'이라는 주제로 교육과정, 교육평가, 수업설계, 학교의 의사결정을 구성 요소로 하여 서론, 본론, 결론을 갖추어 논하시오. [20점]

보고 싶은 친구에게

… (중략) …

학생의 선택과 결정의 기회를 확대하기 위해 우리 학교가 학교 운영 계획을 전체적으로 다시 세우고 있어. 그 과정에서 나는 교육과정 운영, 교육평가 방안, 온라인 수업설계 등을 고민했고 교사협의회에도 참여했어.

그동안의 교육과정 운영을 되돌아보니 운영에 대한 나의 관점이 달라진 것 같아. 교직 생활 초기에는 국가 교육과정의 내용을 있는 그대로 실행하는 관점으로 교육과정을 운영해 왔어. 그런데 최근 내가 새롭게 관심을 가지게 된 관점은 교육과정을 교사와 학생이 함께 생성하는 교육적 경험으로 보는 거야. 이 관점으로 교육과정을 운영하는 방안을 찾아봐야겠어.

오늘 읽은 교육평가 방안 보고서에는 학생이 주체가 되는 평가가 학습에 도움이 된다는 내용이 담겨 있었어. 내가 지향해야 할 평가의 방향으로는 적절한데 그 내용이 구체적이지는 않더라. 학생이 스스로 자신을 평가하게 하면 어떠한 효과를 거둘 수 있을지, 그리고 내가 수업에서 이러한 평가를 어떻게 실행할 수 있을지 더 자세히 알아봐야겠어.

… (중략) …

요즘 온라인 수업을 하게 되었어. 학기 초에 학생의 일반적인 특성과 상황은 조사를 했는데 온라인 수업과 관련된 학생의 특성과 학습환경에 대해서도 추가로 파악해야겠어. 그리고 학생이 자신만의 학습목표를 설정하고 학습의 주체가 되는 수업을 어떻게 온라인에서 지원할 수 있을지 고민하다가, 학습과정 중에 나와 학생뿐만 아니라 학생들 간에도 소통이 이루어지도록 토론게시판을 활용하려고 해.

교사협의회에서는 학교 운영에 학생들의 요구를 반영하는 방안에 대해 논의했어. 다양한 의사결정 방식들이 제안되었는데 그중 A 안은 문제를 확인한 후에 목적과 세부 목표를 설정하고, 가능한 대안들을 모두 탐색하고, 각 대안에 따른 결과를 예측하고 비교해서 최적의 방안을 찾는 방식이었어. B 안은 현실적인 소수의 대안을 검토하고 부분적으로 수정해서 현재의 문제상황을 조금씩 개선해 나가는 방식이었어. 많은 논의를 거친 끝에 B 안으로 결정했어. 나는 B 안에 따른 구체적인 방안을 다음 협의회 때 제안하기로 했어. … (하략) …

배 점

- **논술의 내용 [총 15점]**
  - 교육과정 운영 관점을 스나이더 외(J. Snyder, F. Bolin, & K. Zumwalt)의 분류에 따라 설명할 때, 김 교사가 언급한 자신의 기존 관점의 장점과 단점 각각 1가지, 새롭게 관심을 가지게 된 관점에 적합한 교육과정 운영방안 2가지 [4점]
  - 김 교사가 적용하고자 하는 평가방식이 학생에게 줄 수 있는 교육적 효과 2가지, 이 평가를 수업에서 실행하는 방안 2가지 [4점]
  - 김 교사가 온라인 수업을 위해 추가로 파악하고자 하는 학생특성과 학습환경의 구체적인 예 각각 1가지, 김 교사가 하고자 하는 수업에서 토론게시판을 활용하여 학생을 지원할 수 있는 구체적인 방안 2가지 [4점]
  - A 안과 B 안에 해당하는 의사결정모형의 단점 각각 1가지, 김 교사가 B 안에 따라 학생들의 요구를 반영하기 위해 제안할 수 있는 구체적인 방안 1가지 [3점]
- **논술의 구성 및 표현 [총 5점]**
  - 논술의 내용과 '학생의 선택과 결정의 기회를 확대하는 교육'의 연계 및 논리적 형식 [3점]
  - 표현의 적절성 [2점]

01 논제 파악

1 도해조직자(graphic organizer)

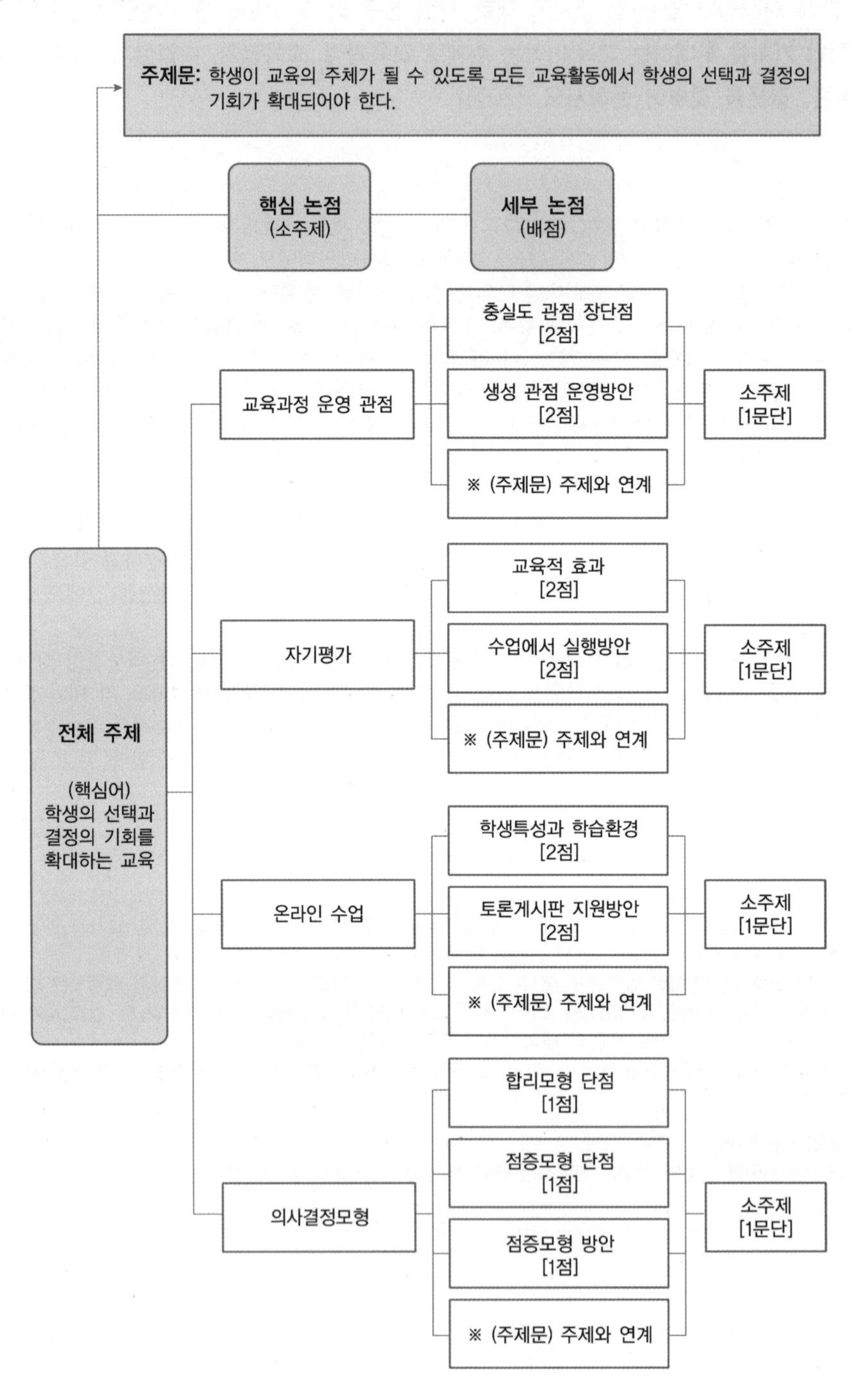

2 배점 분석('내용 영역')

배 점

- **논술의 내용 [총 15점]**

– 김 교사가 언급한 자신의 기존 교육과정 운영 관점의 장점과 단점 각각 1가지, 새롭게 관심을 가지게 된 관점에 적합한 교육과정 운영방안 2가지 [4점]

⇨ 충실도 관점의 장단점 각각 1가지(2점), 생성 관점의 운영방안 2가지(2점) [4점]

– 김 교사가 적용하고자 하는 평가방식이 학생에게 줄 수 있는 교육적 효과 2가지, 이 평가를 수업에서 실행하는 방안 2가지 [4점]

⇨ 자기평가의 교육적 효과 2가지(2점), 수업에서 자기평가의 실행방안 2가지(2점) [4점]

– 김 교사가 온라인 수업을 위해 추가로 파악하고자 하는 학생특성과 학습환경의 구체적인 예 각각 1가지, 김 교사가 하고자 하는 수업에서 토론게시판을 활용하여 학생을 지원할 수 있는 구체적인 방안 2가지 [4점]

⇨ 학생특성과 학습환경의 구체적 예 각각 1가지(2점), 토론게시판을 활용한 학생 지원방안 2가지(2점) [4점]

– A 안과 B 안에 해당하는 의사결정모형의 단점 각각 1가지, 김 교사가 B 안에 따라 학생들의 요구를 반영하기 위해 제안할 수 있는 구체적인 방안 1가지 [3점]

⇨ 합리모형과 점증모형의 단점 각각 1가지(2점), 점증모형의 구체적 방안 1가지(1점) [3점]

3 답안 구상

주제문 학생이 교육의 주체가 될 수 있도록 모든 교육활동에서 학생의 선택과 결정의 기회가 확대되어야 한다.

전체 주제 (대주제)	핵심 논점 (소주제)	세부 논점 (배점)	중심 내용 + 설명/논증/(제시문 분석 · 적용)		배점	출제 영역
학생의 선택과 결정의 기회를 확대하는 교육	교육과정 운영 관점	① 충실도 관점의 장단점 [2점]	㉠ 장점: 구조화된 교육과정 ㉡ 단점: 교사배제 교육과정	㉠ 장점: 쟁점 사항별 실행수준의 문제와 그에 따른 처방을 구체적으로 제시 ㉡ 단점: 교육현장의 특수한 상황 반영하기 어렵고 교사의 능동적 관여 경시	4점	교육과정
		② 생성 관점 운영방안 [2점]	㉠ 교사, 학생 모두 성장 ㉡ 특수한 환경에 맞추어 운영	㉠ 교사와 학생 모두 지속적인 성장과 발달이 가능하도록 교육과정을 창조적으로 운영 ㉡ 교사는 교육과정 개발자이자 창안자로서 역할을 담당하며, 학생의 이익을 위하여 학교와 교실의 복잡하고 특수한 환경에 맞추어 교육과정을 운영		
		※ 주제와의 연계	학생의 선택과 결정의 기회를 확대하기 위해서는 교육과정 운영에 관한 새로운 전환이 우선적으로 요구된다.			

<table>
<tr><td rowspan="3">자기평가</td><td>① 자기평가의 교육적 효과 [2점]</td><td>㉠ 메타인지 향상
㉡ 스스로 점검기회 제공</td><td>㉠ 자신의 인지수준이나 학습전략을 돌아보는 과정에서 메타인지를 향상
㉡ 학생이 스스로 학습목표를 세우고 학습달성에 대한 계획을 수립하고 스스로 점검해 볼 수 있는 기회를 제공</td><td rowspan="3">4점</td><td rowspan="3">교육평가</td></tr>
<tr><td>② 자기평가 실행방안 [2점]</td><td>㉠ 독립된 형태로 실행
㉡ 다른 평가와 연계</td><td>㉠ 평정척도법, 체크리스트 등을 제공하여 학생 스스로 자신의 학습 과정과 결과에 대해 평가
㉡ 수업과 연계된 수행평가나 포트폴리오 평가에서 자신의 산출물에 대한 자기성찰의 내용을 포함시켜 실행</td></tr>
<tr><td>※ 주제와의 연계</td><td colspan="2">평가방식에 있어서도 학생의 선택과 결정의 기회가 확대되도록 평가의 권한을 학생에게 이양하는 일도 중요하다.</td></tr>
<tr><td rowspan="3">온라인 수업</td><td>① 학생특성과 학습환경 [2점]</td><td>㉠ 학생특성
㉡ 학습환경</td><td>㉠ 학생의 컴퓨터 활용 능력, 통신수단의 의사소통능력 등 온라인 활용 역량
㉡ 온라인 수업에 필요한 하드웨어와 소프트웨어의 구비 여부와 기술적 지원체제, 학습관리시스템(LSM) 등 온라인 수업의 시스템과 콘텐츠 현황</td><td rowspan="3">4점</td><td rowspan="3">교육방법</td></tr>
<tr><td>② 토론게시판을 활용한 학생 지원방안 [2점]</td><td>㉠ 교사와 학생 간
㉡ 학생 상호 간</td><td>㉠ 토론게시판에서 학생의 학습과정을 손쉽게 점검할 수 있도록 지원하며, 학생의 학습성취 정도에 따라서 적응적인 피드백을 제공
㉡ 토론게시판을 실시간 토론이나 비실시간 토론의 장으로 다양하게 활용함으로써 학생 상호 간에도 서로 협력하며 자기 주도적 학습 진행</td></tr>
<tr><td>※ 주제와의 연계</td><td colspan="2">온라인 수업의 경우, 온라인에서 학생의 선택과 결정의 기회가 확대되도록 학생의 자기 주도적 학습을 지원해 주는 것도 필수적이다.</td></tr>
</table>

의사결정모형	① 합리모형 단점 [1점]	비현실적임	의사결정자의 전지전능함을 전제로 하고 있으나 인간 능력의 한계로 인해 비현실적임	3점	교육행정
	② 점증모형 단점 [1점]	소극적인 악의 제거	문제나 불만의 해소에만 주력함으로써 적극적인 선(善)의 추구보다는 소극적인 악(惡)의 제거에만 관심을 쏟음		
	③ 점증모형에 따른 구체적 방안 [1점]	점진적 개선책 도모	기존의 학교 운영에 관한 학생들의 불만을 학생회나 설문지 등을 통해 제시, 점진적 개선을 도모할 수 있는 제한된 수의 대안을 검토하여 학생의 요구가 반영된 현실성 있는 정책을 선택		
	※ 주제와의 연계	학생의 선택과 결정의 기회가 확대되기 위해서는 학교 운영에 관한 의사결정에서도 학생의 요구가 반영되도록 해야 한다.			

02 모범답안

서론

최근 학생참여형 수업이 강조됨에 따라 학생의 선택과 결정의 기회를 확대하는 교육이 주요 현안으로 대두되고 있다. 교사는 교육과정 운영, 평가방식, 수업설계 등에서 학생의 선택과 결정의 기회를 확대해 나가야 하며, 학교 운영에 관한 의사결정에서도 학생의 요구가 반영될 수 있도록 유의해야 한다. 제시문의 이메일 내용을 토대로 학생의 선택과 결정의 기회를 확대하는 교육에 대해 논의하고자 한다.

본론

학생의 선택과 결정의 기회를 확대하기 위해서는 교육과정 운영에 관한 새로운 전환이 우선적으로 요구된다. 스나이더(Snyder) 등에 따르면, 김 교사가 언급한 기존 교육과정 운영의 관점은 충실도 관점이다. 충실도 관점은 교실 외부의 전문가에 의해 고도로 구조화된 교육과정이 개발되므로 쟁점 사항별 실행수준의 문제와 그에 따른 처방을 구체적으로 제시해 줄 수 있다는 장점이 있다. 그러나 교사배제 교육과정으로 설계되어 있어 교육현장의 특수한 상황을 반영하기 어렵고 교사의 능동적 관여를 경시한다는 단점이 있다. 반면, 김 교사가 새롭게 관심을 갖게 된 관점은 생성 관점이며, 그에 적합한 교육과정 운영방안을 제시하면 다음과 같다. 첫째, 교육과정 생성에 참여하고 있는 교사와 학생 모두가 지속적인 성장과 발달이 가능하도록 교육과정을 창조적으로 운영해야 한다. 둘째, 교사는 교육과정 창안자로서 주체적이고 능동적인 역할을 담당하며, 학생의 이익을 위하여 학교와 교실의 복잡하고 특수한 환경에 맞추어 교육과정을 운영해야 한다. 이처럼 교육과정 운영에 관한 학생의 기회를 확대하기 위해서는 생성 관점이 타당해 보인다.

평가방식에 있어서도 학생의 선택과 결정의 기회가 확대되도록 평가의 권한을 학생에게 이양하는 일도 중요하다. 김 교사가 적용하고자 하는 평가방식은 학생이 스스로 자신을 평가하는 자기평가이다. 자기평가는 다음과 같은 교육적 효과가 있다. 첫째, 자신의 인지수준이나 학습전략을 돌아보는 과정에서 메타인지를 향상시킬 수 있다. 둘째, 학생이 스스로 학습목표를 세우고 학습달성에 대한 계획을 수립하고 스스로 점검해볼 수 있는 기회를 제공할 수 있다. 자기평가를 수업에서 실행하는 방안을 제시하면 다음과 같다. 첫째, 독립된 형태로 자기평가를 실행할 수 있다. 수업 전, 과정 및 종료 이후 평정척도법, 체크리스트 등을 제공하여 학생 스스로 자신의 학습과정과 결과에 대해 평가하도록 한다. 둘째, 다른 평가방법과 연계하여 실행할 수도 있다. 수업과 연계된 수행평가나 포트폴리오 평가에서 자신의 산출물에 대한 자기성찰의 내용을 포함시켜 자기평가가 이루어지도록 한다. 이처럼 평가 측면에서 학생의 기회가 확대되려면 자기평가를 수업에서 적극적으로 실행해 나갈 수 있어야 한다.

온라인 수업의 경우, 온라인에서 학생의 선택과 결정의 기회가 확대되도록 학생의 자기 주도적 학습을 지원해 주는 것도 필수적이다. 이를 위해서는 온라인 수업과 관련된 학생의 특성과 학습환경을 파악하는 일이 중요하다. 학생특성 측면에서는 온라인 수업을 위한 학생의 컴퓨터 활용 능력, 통신수단을 이용한 의사소통능력 등 온라인 활용 역량을 파악해야 하며, 학습환경 측면에서는 온라인 수업에 필요한 하드웨어와 소프트웨어의 구비 여부와 기술적 지원체제, 학습관리시스템(LSM) 등 온라인 수업의 시스템과 콘텐츠 현황을 파악해야 한다. 토론게시판을 활용하여 학생의 학습을 지원하려면 다음과 같은 방안을 활용할 수 있다. 첫째, 토론게시판에서 교사와 학생 간 적극적인 상호작용을 통해 학생의 학습과정을 손쉽게 점검할 수 있도록 지원하며, 학생의 학습성취 정도에 따라서 적응적인 피드백을 제공함으로써 학생의 자기주도학습을 촉진하고 지원한다. 둘째, 토론게시판을 실시간 토론이나 비실시간 토론의 장으로 다양하게 활용함으로써 학생 상호 간에도 서로 협력하며 자기 주도적 학습을 진행할 수 있도록 지원한다. 이처럼 학생의 기회를 확대하려면 온라인 수업에서도 학생이 학습의 주도권을 갖도록 지원해 주어야 한다.

학생의 선택과 결정의 기회가 확대되기 위해서는 학교 운영에 관한 의사결정에서도 학생의 요구가 반영되도록 해야 한다. A 안에 해당하는 의사결정모형은 목표 달성을 위해 모든 대안을 탐색한 후 최적의 대안을 선택하는 합리모형이다. 합리모형은 의사결정자의 전지전능함을 전제로 하고 있으나 인간 능력의 한계로 인해 비현실적이라는 단점이 있다. B 안은 기존의 정책보다 약간 개선된 대안을 선택하는 점증모형에 해당한다. 점증모형은 새로운 목표의 적극적인 추구보다는 드러난 문제나 불만의 해소에만 주력함으로써 적극적인 선(善)의 추구보다는 소극적인 악(惡)의 제거에만 관심을 쏟는다는 단점이 있다. 점증모형에 따라 학생의 요구를 반영하려면, 기존의 학교 운영에 관한 학생들의 불만을 학생회나 설문지 등을 통해 제시하도록 하고, 점진적 개선을 도모할 수 있는 제한된 수의 대안을 검토하여 학생의 요구가 반영된 현실성 있는 정책을 선택하도록 한다. 이처럼 학생의 기회가 확대되려면 학교 운영에서도 학생의 선택과 결정이 존중되도록 해야 한다.

결론

학생이 교육의 주체가 될 수 있도록 모든 교육활동에서 학생의 선택과 결정의 기회가 확대되어야 한다. 이를 위해서 교사는 교육과정 운영에서 학생과 함께 교육경험을 창조하고, 평가에서는 학생의 자기평가를 확대해 주어야 하며, 학습과정에서 학생의 자기 주도적 학습을 적극적으로 지원해 주어야 한다. 나아가 학교 운영에 관한 의사결정에서도 학생의 요구가 반영된 현실적인 정책 수립이 요구된다.

권지수의 탁월한 만점전략

합격하는
교육학 논술 작성법

초판인쇄 | 2025. 1. 10. **초판발행** | 2025. 1. 15.
편저자 | 권지수 **발행인** | 박 용 **발행처** | (주)박문각출판
등록 | 2015년 4월 29일 제2019-000137호
주소 | 06654 서울특별시 서초구 효령로 283 서경빌딩
전화 | 교재주문·학습문의 (02)6466-7202

비매품
ISBN 979-11-7262-430-9 | ISBN 979-11-7262-427-9(세트)

저자와의 협의하에 인지생략